A Bacalhoada Que Mudou A História

LUIZ EDUARDO DE CASTRO NEVES

ILUSTRAÇÕES JULIANA MONTENEGRO

Para Bel e Zé Roberto, Cecília e Ipi, irmãos e cunhados amados;
Paulo César de Barros Melo, querido amigo,
fundamental nesta e em outras viagens;
e Mirelle, Letícia e Rafael, que,
a todo momento, dão sentido à minha história.

A Bacalhoada Que Mudou A História

LUIZ EDUARDO DE CASTRO NEVES

ILUSTRAÇÕES JULIANA MONTENEGRO

1ª EDIÇÃO - 2ª IMPRESSÃO

ÍNDICE

Uma pequena linha do tempo .... pg 06
Uma breve nota histórica .... pg 08
Importante aviso aos navegantes .... pg 11
A maldição dos Bragança .... pg 13
I. O príncipe regente e o marquês .... pg 15
II. O lorde inglês .... pg 19
III. O conde .... pg 23
IV. O falso imperador .... pg 27
V. Não há outro jeito .... pg 31
VI. A falsa Josefina .... pg 35
VII. O Palácio Real de Queluz .... pg 39
VIII. O alfaiate .... pg 43
IX. Um encontro indesejado .... pg 47
X. Os últimos arranjos .... pg 51
XI. A prisão do marquês .... pg 55
XII. Uma ajuda inesperada .... pg 59
XIII. Os aperitivos .... pg 63
XIV. Uma ajuda real .... pg 67
XV. A bacalhoada .... pg 71
XVI. O corredor revelador .... pg 75
XVII. O cerco aperta .... pg 79
XVIII. A rebelião .... pg 83
XIX. Mais um lugar à mesa .... pg 87
XX. O contra-ataque .... pg 89
XXI. A sobremesa .... pg 93
XXII. O embarque .... pg 97

UMA PEQUENA LINHA DO TEMPO
(100 ANOS DE HISTÓRIA)

1734 Nasce D. Maria I.
1761 Nasce Dom José (irmão mais velho de Dom João e herdeiro do trono).
1767 Nasce Dom João VI.
1775 Nasce Carlota Joaquina.
1777 D. Maria I se torna rainha de Portugal.
1788 Morre Dom José (Dom João passa a ser o herdeiro do trono).
1792 D. Maria I é declarada louca e Dom João passa a ser príncipe regente de Portugal.
1804 Napoleão se torna imperador da França.
1806 Napoleão decreta o Bloqueio Continental (impede comércio com a Inglaterra) +.

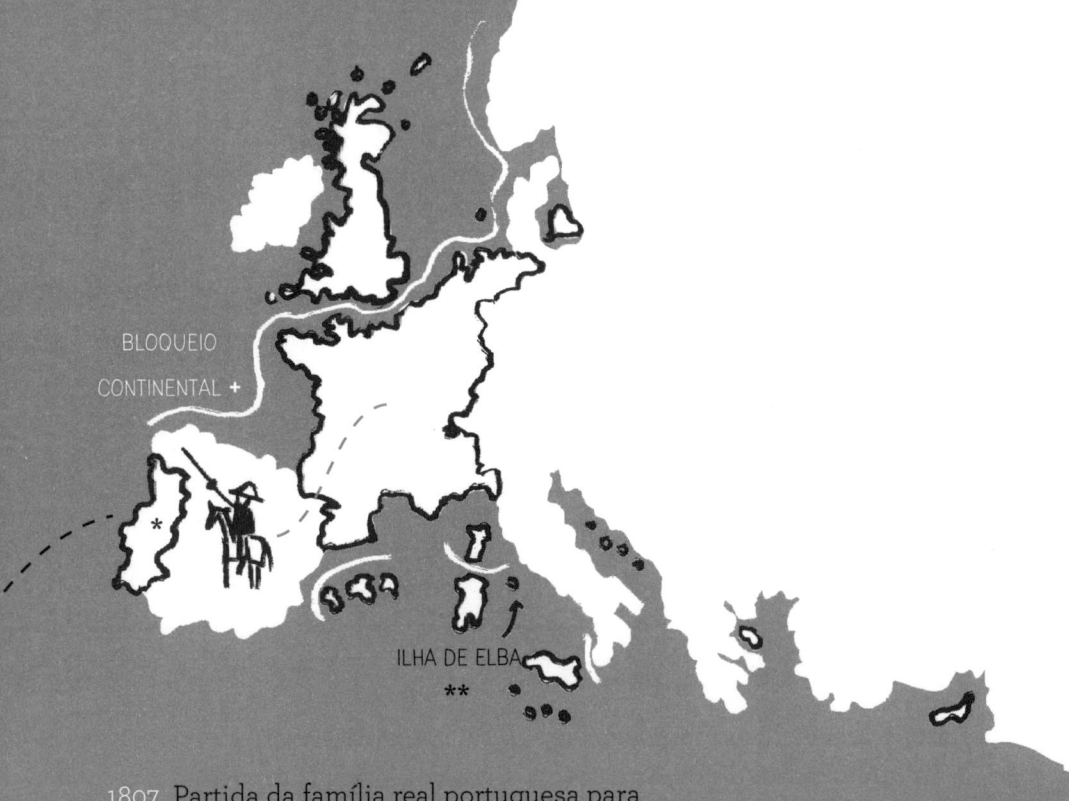

1807 Partida da família real portuguesa para o Brasil (em 29 de novembro de 1807) *.
1814 Napoleão Bonaparte é derrotado e exilado na ilha de Elba **.
1815 Napoleão volta ao poder, é novamente derrotado e preso na ilha de Santa Helena ++.
1816 Morre D. Maria I.
1818 Dom João se torna rei de Portugal (passa a ser Dom João VI).
1821 Morre Napoleão na ilha de Santa Helena.
1821 A família real portuguesa volta para Portugal, deixando Dom Pedro no Brasil.
1822 Dom Pedro proclama a independência do Brasil (passa a ser Dom Pedro I).
1826 Morre Dom João VI.
1830 Morre Carlota Joaquina
1831 Dom Pedro I volta para Portugal e briga pelo trono (em Portugal, se torna Dom Pedro IV).
1834 Morre Dom Pedro I.

UMA BREVE
NOTA HISTÓRICA

João Maria José Francisco Xavier de Paula Luís António Domingos Rafael de Bragança (ou, simplesmente, Dom João VI) nunca foi preparado para ser o rei de Portugal. Aos 21 anos, porém, passou a ser o herdeiro do trono com a morte de José, seu irmão mais velho. Quatro anos mais tarde, sua mãe, D. Maria I, foi declarada louca e ele se tornou o príncipe regente de Portugal.

Dom João VI era casado com Carlota Joaquina (filha do futuro rei da Espanha), com quem sempre teve um relacionamento conturbado. A princesa tinha um gênio difícil, era muito ambiciosa e participou de diversas tentativas para tomar o trono português. Por isso, após 1805, eles passaram a viver em palácios separados.

Enfim, vida dura: teve que assumir o trono português mesmo sem ter se preparado para ser rei, tinha uma mãe doida e uma mulher complicada. E para piorar, Napoleão Bonaparte, Imperador da França, que dominava grande parte da Europa, proibiu os países do continente europeu de comercializarem com os ingleses, já que estava em guerra com a Inglaterra. E veja que situação: Portugal dependia da economia inglesa, mas não tinha força para brigar com o temível Napoleão.

Dom João tentava ficar longe da guerra entre Inglaterra e França e somente pretendia atender em parte as ordens do imperador francês. Irritado, Napoleão avisou que, se Portugal não declarasse guerra à Inglaterra, acabaria com a dinastia dos Bragança (a família real portuguesa). Mesmo ameaçado, o indeciso Dom João somente resolveu partir para o Brasil quando o exército francês já estava no território português. A partida foi feita às pressas e a vinda da corte portuguesa para o Brasil virou uma grande fuga, já que muitos portugueses resolveram acompanhar a família real.

Incontáveis críticas sempre foram feitas a Dom João VI, tido como indeciso, inseguro e despreparado para ser rei. Ainda assim, não se pode esquecer que, após a queda de Napoleão, ele conseguiu manter a família Bragança no poder em Portugal e também no Brasil, após sua independência.

IMPORTANTE
AVISO AOS NAVEGANTES

Você acha que uma simples bacalhoada poderia mudar a história do Brasil e de Portugal? Então, eu o convido a ler esta história que conta como tudo teria acontecido.

E aí, podemos partir? Ótimo! Então segure o leme, enquanto subo as velas. Vamos aproveitar este vento maravilhoso!

Ah, já ia esquecendo. Incluí notas de rodapé para que você não se perca da história real e aproveite a viagem para tomar conhecimento de algumas curiosidades.

A MALDIÇÃO DOS BRAGANÇA

Aí vai a primeira curiosidade: conta-se que Dom João IV, primeiro rei da dinastia dos Bragança (família que reinou em Portugal de 1640 até 1910), agrediu um frade franciscano a pontapés, após este ter-lhe implorado esmola. Ofendido, o frade rogou uma praga ao rei: jamais um primogênito varão dos Bragança viveria o bastante para chegar ao trono. Isso é a "Maldição dos Bragança".

Essa história é apenas uma lenda, mas, curiosamente, a maior parte dos primogênitos da família Bragança não subiu ao trono português. Aliás, Dom João VI (tataraneto de Dom João IV), Dom Pedro I e Dom Pedro II (os dois imperadores que o Brasil teve) não eram os filhos primogênitos.

I
O PRÍNCIPE REGENTE E O MARQUÊS

O marquês de Linhaça, amigo próximo do príncipe regente Dom João, foi até o Palácio de Queluz para tratar dos últimos preparativos para a partida da família real portuguesa para o Brasil. Lá, encontrou Dom João aflito:

— Não sei o que fazer! Não tenho meios de impedir a invasão francesa! Por outro lado, não posso enfrentar os ingleses!

— Sabemos disso, majestade. Nossa única saída é a fuga para o Brasil! — respondeu o marquês.

— Fugir para o Brasil? Continuo não me acostumando a essa ideia.

— Mas já está tudo acertado! Os ingleses nos darão proteção e viveremos nos trópicos até as coisas se acalmarem.

— Viver nos trópicos? O senhor acha que a princesa Carlota Joaquina está feliz com essa ideia louca?

— Mas a vossa mãe achou a ideia maravilhosa! Além disso, que outra opção temos? Vossa Alteza quer enfrentar Napoleão? Acha que temos alguma chance?

Dom João parecia irredutível. Por ora, tinha decidido atender as exigências francesas e deixar que os ingleses brigassem com os franceses. O marquês insistiu:

— Mas o burburinho de nossa partida já é enorme! Em Lisboa não se fala em outra coisa! A Real Biblioteca já está quase toda empacotada! Muitos nobres já reservaram seus lugares nas embarcações! Como poderemos desfazer tudo isso?

— Caro marquês, de quantas pessoas o senhor está falando?

— Acho que umas quinze mil.

— Quinze mil? Não sabia que tantos iriam conosco! E como vamos arrumar lugar para essa gente morar no Brasil? Há tantos hotéis lá?

— Alteza, para isso servem os decretos[1]! Uma ordem do príncipe regente e todos os brasileiros entregarão suas casas para os portugueses!

Dom João fez um minuto de silêncio, mas não mudou de opinião:

— Isso não está certo! Além disso, esta mudança vai acabar separando a minha família!

— Que nada! A família real irá toda!

— Não é isso, marquês! Essas mudanças acabam criando separações! Um dia, um filho volta para Portugal e o outro fica por lá. Imagine a briga!

O marquês respondeu com certo constrangimento:

— Mas, Alteza, Dom Pedro e Dom Miguel não são um exemplo de amizade.

— É, eu sei. Sofro muito com isso! Mas acho que esta coisa de dois reinos tende a piorar!

— Não se preocupe, o reino será sempre único!

---

[1] Nota histórica: Entre dez e quinze mil pessoas acompanharam a família real em sua fuga para o Brasil. Para encontrar lugar para acomodar essas pessoas, eram escolhidas as melhores moradias da cidade, e as famílias eram obrigadas a deixar as casas e os objetos que havia nela. As casas escolhidas eram marcadas com as iniciais "P.R.", que significavam "Príncipe Regente". O povo carioca, com ironia, as traduzia como "Ponha-se na Rua".

— Que nada, marquês! Um dia, acaba separando! Ou o senhor acha que manteremos aquela colônia para sempre[2]?

— E por que não? Aquelas terras nos pertencem!

O príncipe regente, sempre indeciso, pela primeira vez em muito tempo, parecia ter tomado uma decisão definitiva:

— Nada disso! Vamos dizer aos ingleses que ficaremos por aqui.

— Alteza, nós vamos ser invadidos! Napoleão não vai nos defender e nossa economia depende dos produtos ingleses! Além disso, já demos nossa palavra aos ingleses de que iremos. Voltar atrás não dá!

— Dá e está decidido! Passaremos um aperto, mas logo, logo Napoleão é derrotado e a vida volta ao normal! Por favor, avisem à princesa Carlota Joaquina que não iremos! Desarrumem as malas!

O marquês deu seu último suspiro:

— Alteza, os franceses já estão quase em Lisboa!

— Então, faremos uma bela bacalhoada e os receberemos em festa!

— Uma bacalhoada para os franceses[3]? E o que faremos com o oficial inglês que está aí fora, pronto para escoltar a família real até a colônia?

— Ora, marquês, melhor convidá-lo para o almoço! Não há nenhuma razão para sermos deselegantes, ora pois!

---

[2] Nota histórica: Em 1821, Dom João retornou com sua família para Portugal. Deixou no Brasil seu filho Dom Pedro, que, em 1822, proclamou a independência do Brasil (passou a ser Dom Pedro I). Anos mais tarde, após a morte de Dom João VI, Pedro e seu irmão Miguel lutaram pelo trono.

[3] Nota histórica: Dom João evitou, ao máximo, confrontar Napoleão. Dois dias antes de partir de Portugal, editou um decreto com instruções para que os franceses fossem recebidos amigavelmente. Veja que loucura: os franceses que o tinham feito partir deveriam ser bem recebidos pelos portugueses! (Quem sabe até com uma boa bacalhoada?)

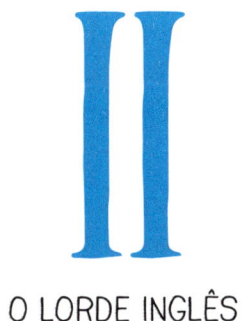

O LORDE INGLÊS

O marquês de Linhaça deixou os aposentos reais atordoado e nervoso. Na antessala, dirigiu-se ao comandante inglês que estava pronto para fazer a escolta da família real para o Brasil, a quem disse apenas:

— Lorde Hunt, não vamos mais!

O comandante britânico deu um pulo:

— Sabia que havia alguma coisa errada! Quando sinto doer meu calo no pé direito é porque algo muito sério está para acontecer!

O marquês não deu nenhuma atenção para o calo do lorde. Apenas concluiu:

— Não vamos mais! O príncipe regente decidiu ficar! Ele quer receber os franceses com uma bacalhoada e acredita que os ingleses vão entender.

Lorde Hunt se desesperou:

— Onde o príncipe regente está com a cabeça? Quer se entregar ao temível Napoleão? O que vou dizer ao rei? Certamente ele não aceitará uma afronta destas e vai invadir Portugal!

— Napoleão? Isso não é o pior! Em vista dessa fuga, já vendi quase todos os meus bens, e minha mulher está muito animada para viajar para o Brasil. O que direi a ela? Que ficaremos aqui em Lisboa, sem eira nem beira[4]? – respondeu o marquês, sob o olhar surpreso do comandante inglês.

Lorde Hunt sabia que não poderia voltar para a Inglaterra com uma bomba daquelas. Olhou fixamente nos olhos do marquês em busca de alguma solução. O marquês pareceu recobrar os sentidos.

— Sir Hunt, ainda há esperança. Sabe como é nosso príncipe regente: uma ótima pessoa, mas costuma mudar de opinião facilmente. Precisamos descobrir alguém que o faça rever imediatamente esta decisão maluca.

Lorde Hunt abriu um sorriso:

— Isso seria ótimo! Mas quem? A esposa dele?

O marquês deu uma risada nervosa:

— A princesa Carlota Joaquina está muito irritada com esta fuga para o Brasil[5]. Se falarmos que há uma chance de ficarmos aqui, a coisa só piora.

O lorde arriscou novamente:

— E a velha rainha? Sei que ela não está nada bem da cabeça, mas mãe é sempre mãe! Quem sabe ela dá um conselho e ele ouve!

— Quem? Dona Maria I, a Louca? Impossível! E o pior, dizem que ela está entusiasmada com a viagem e que está ansiosa para conhecer os trópicos. O que preocupa ainda mais o príncipe regente. Imagine, se a maluca acha uma boa ideia ir, será que isso é um bom sinal?

---

[4] Nota curiosa: Uma pessoa "sem eira nem beira" era uma pessoa sem posses. Isso porque os telhados das casas das pessoas com mais recursos financeiros tinham uma eira (uma espécie de marquise para escoar a chuva) e a beira (um adorno no telhado). As casas mais simples não tinham "nem eira nem beira". Até hoje se utiliza a expressão para se referir a alguém sem boa situação financeira.

[5] Nota histórica: A princesa Carlota Joaquina jamais gostou do Brasil. Conta-se que antes de retornar para Portugal, bateu seus sapatos enquanto dizia: "Desta terra eu não levo nem o pó."

O lorde franziu a testa.

— Marquês, não podemos deixar que a família real fique por aqui! Isso mudaria completamente o rumo da história. O destino da família real portuguesa é o Brasil! Tenho certeza de que ela será recebida de braços abertos! Quanto tempo falta até que as tropas francesas cheguem a Lisboa?

— Difícil saber ao certo. Acho que entre dois e três dias.

— Então, procure saber quem pode fazer o príncipe regente mudar de ideia! Esta bacalhoada com os franceses não pode ocorrer de forma nenhuma! Não por agora! Não aqui em Lisboa!

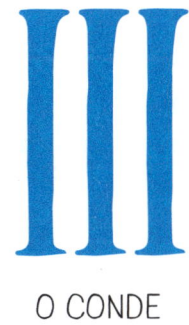

III

O CONDE

O marquês de Linhaça saiu do Palácio Real apressado. Sentia-se como o único português que compreendia a gravidade da situação. Estava tão perdido que pensava em pedir conselhos para a rainha Maria I, a Louca. Sem saber o que fazer, resolveu ir até a casa do conde de Barra Funda. O conde era muito inteligente e astuto, talvez encontrasse uma solução para contornar a delicada situação. Ao chegar lá, pediu para ser anunciado, com urgência. O conde ficou surpreso com a inesperada visita.

— Prezado marquês de Linhaça, achei que o senhor estava arrumando suas malas.

— Por favor, não me trate por senhor! A gravidade da situação dispensa essas formalidades! Não sei o que fazer! O príncipe regente está decidido a ficar em Lisboa! Quer receber os franceses com uma grande bacalhoada e convidar os ingleses para o almoço!

— Marquês, não é hora para brincadeiras de mau gosto! Os franceses se aproximam e em poucos dias vão tomar Lisboa! Estive com o príncipe regente ontem à tarde e ele estava pronto para partir. Que história é essa?

— Pois eu estive com ele hoje pela manhã e ele está decidido a não abandonar sua terra natal!

— Mas isso é loucura! Será que ele já sofre do mesmo mal da mãe[6]?

Fez-se um silêncio, que foi quebrado pelo marquês:

— Conde, será que podemos interná-lo? Só por algumas horas? Levamos o príncipe regente até uma enfermaria, damos algo para que adormeça e, quando acordar, já estará em alto-mar!

— Mas isso também é loucura! Fazer o príncipe regente prisioneiro em seu próprio navio? Essa traição certamente vai nos custar a vida!

O marquês deu um riso nervoso:

— Não se preocupe: quando ele chegar à colônia, vai se encantar. Dizem que a terra é linda, o clima agradável e o povo amável! Em pouco tempo, posso garantir que não vai querer voltar[7]! Mesmo que Napoleão não esteja mais no poder.

— Talvez, no futuro, você tenha razão! Mas, antes disso, esse plano já vai ter nos custado a vida! E aí, quem sabe, um dia, alguma rua ou alguma praça vai ganhar o nosso nome, mas não nos darão nossa vida de volta. Nem por um decreto real!

O marquês suou frio.

— Então, o que você sugere?

O conde pensou um pouco, esfregou sua enorme barriga, até que abriu um sorriso:

— Se o príncipe regente quer uma bacalhoada com os franceses,

---

[6] Nota histórica: Em 1792, D. Maria I, rainha de Portugal, foi afastada do trono por sofrer de doença mental. Seu filho Dom João assumiu a regência do país. Ele tinha um caráter depressivo, que o enlouquecia. Em 1805, ele teve um grande surto de depressão e se afastou do poder. Carlota Joaquina tentou tomar o trono português, mas Dom João impediu o golpe. Em 1818, dois anos após a morte da mãe, ele se tornou rei de Portugal (passou a se chamar Dom João VI).

[7] Nota histórica: Dom João permaneceu no Brasil até 1821, seis anos após a queda de Napoleão, ou seja, após algum tempo no Brasil, ele não queria mais voltar.

vamos ter uma bacalhoada inesquecível!

O marquês se desesperou:

— Mas, conde, esta rendição será o nosso fim!

— Calma, marquês, espere até conhecer o meu plano!
O príncipe regente precisa perceber que Napoleão é um homem muito perigoso e que fugir para o Brasil é a melhor coisa que ele tem para fazer! Já sei quem é a pessoa ideal para essa missão!

— Conde, não sei exatamente o que você tem em mente, mas o que o faz acreditar que o seu plano não vai custar a nossa cabeça?

— Não tenho certeza de que sairemos ilesos, mas não temos nenhum outro plano melhor. Além disso, se fizermos tudo direito e contarmos com um pouco de sorte, não seremos descobertos.

O FALSO IMPERADOR

O conde de Barra Funda pegou a bengala e mandou chamar o cocheiro com urgência. Agora, era ele que estava com pressa. Pediu para ser levado imediatamente à Taberna Real, o que gerou perplexidade no marquês de Linhaça:

— Para uma taberna? O mundo está caindo e você quer beber? — perguntou o marquês, um pouco arrependido de não ter se aconselhado com a rainha D. Maria I, a Louca.

— Beber? Vamos à taberna encontrar uma peça fundamental para o meu plano!

Em pouco tempo, chegaram ao local. O marquês jamais tinha ido a um lugar tão insalubre e estava surpreso que um conde conhecesse uma espelunca daquele nível. Ele ficou ainda mais admirado quando percebeu que o conde era conhecido no local e que, apesar da considerável barriga, se locomovia com facilidade no pequeno espaço que havia entre as mesas da taberna. Os dois se dirigiram a um homem de cabeça baixa, que estava sentado em uma pequena mesa cheia de garrafas já vazias.

— Pierre, meu caro. Precisamos de você!

O homem levantou a cabeça e respondeu surpreso:

— De mim? Alguém precisa de mim? Não acredito nisso.

O conde segurou no braço do homem que tinha baixado seu rosto novamente:

— Temos que conversar, mas não pode ser aqui. Vamos logo!

— Mas eu ainda não acabei minha bebida! — respondeu o homem, enquanto apontou para as garrafas vazias.

— Deixe disso! A conta, por favor! — disse o conde ao atendente do bar que, em fração de segundos, trouxe uma conta que evidentemente cobrava mais do que as diversas garrafas que estavam sobre a mesa. O conde pagou sem discutir. Agarrou Pierre pelo braço e foi com o marquês para a carruagem. Ali, não quis perder tempo.

— Precisamos de você! Na verdade, Portugal e Inglaterra precisam de você!

— De mim? Caro amigo, como posso ser útil a Portugal e à Inglaterra ao mesmo tempo? Sou apenas um ator fracassado e um beberrão! — respondeu Pierre, que, embora não estivesse bêbado, exalava forte cheiro de álcool.

O marquês permanecia em silêncio, procurando entender o que o conde tinha em mente.

— Pierre, Portugal está em uma encruzilhada e temos menos de dois dias para mudar o destino deste país! Você é a pessoa certa para essa missão! E, ainda, é a sua chance de se vingar de Napoleão!

— Conde, posso me vingar daquele monstro? Você acha que tenho chance de comandar um exército? Poderíamos prendê-lo e mandá-lo passar o resto de seus dias em uma ilha qualquer!

O conde deu uma gargalhada.

— Napoleão, preso em uma ilha[8]? Além disso, Pierre, você não tem nenhuma chance de vencer Napoleão frente a frente. Mas, se

---

[8] Nota histórica: Em 1814, após ser derrotado, o verdadeiro Napoleão foi obrigado a abdicar e foi exilado na ilha de Elba. No ano seguinte, organizou um exército e retornou ao poder. Derrotado em Waterloo em 1815, foi obrigado a viver na ilha de Santa Helena, onde morreu em 1821.

entrar no lugar dele, certamente poderá dar-lhe um golpe que ele jamais esquecerá.

— Tomar o trono francês? Com todo o respeito, conde, o que é que você andou bebendo?

— Eu, bebendo? Escute: faremos uma bacalhoada amanhã e o príncipe regente irá se encontrar com Napoleão! Você se fará passar pelo imperador francês e, ao longo do almoço, dirá tantas coisas ruins que fará quando ocupar Portugal, que o príncipe regente achará mais interessante fugir para o Brasil do que ser dominado por Napoleão.

— Mas vou ameaçar o príncipe regente dentro do palácio dele? Você tem certeza de que não andou bebendo?

O conde subiu o tom de voz:

— Não, Pierre! Você não vai ameaçar o príncipe regente! Se fizesse isso, o falso Napoleão seria preso e não temos um exército de mentira para brigar com Portugal! O plano é o seguinte: o almoço será agradável, mas durante a conversa você dirá coisas que o imperador fará para que o príncipe regente e a princesa Carlota Joaquina percebam que Napoleão jamais será amigo de Portugal, até porque ele é apenas amigo de si mesmo! Assim, eles vão entender que fugir é a melhor coisa a fazer!

Inesperadamente, Pierre deu um brado:

— Então, eu aceito!

O conde abriu um sorriso e o fechou imediatamente:

— Calma, Pierre, ainda há uma coisa que você deve saber: se isso der errado, certamente nós seremos condenados por traição! Você poderá ser julgado aqui ou ser enviado para a França e, desta vez, Napoleão não o deixará escapar!

— Fique tranquilo. Minha imitação do imperador é tão perfeita

---

[9] Nota histórica: Josefina foi a primeira esposa de Napoleão. Ela foi imperatriz da França de 1804 até 1810. Na cerimônia de sua coroação, na Catedral de Notre-Dame, em Paris, Napoleão retirou a coroa da mão do Papa Pio VII e se autocoroou-se. Em seguida, coroou sua esposa.

que, se estivesse junto de Napoleão, nem ele saberia dizer quem é o impostor! Mas, para que não sejamos desmascarados, há algo de que precisamos: uma imperatriz Josefina[9]!

— Uma imperatriz Josefina? Era só o que me faltava! — resmungou o marquês de Linhaça, cada vez mais arrependido de não ter se aconselhado com D. Maria I, a Louca.

— Você tem razão! Mas onde acharíamos uma imperatriz Josefina? — perguntou o conde, sob o olhar cada vez mais surpreso do marquês.

Pierre respondeu num piscar de olhos:

— Não se preocupe: por sorte, tenho a pessoa certa!

V
NÃO HÁ OUTRO JEITO

Os olhos do conde de Barra Funda não paravam de brilhar. Ele estava visivelmente orgulhoso do plano que tinha concebido. O marquês de Linhaça estava inconformado. Puxou o conde pelo braço, para que se afastassem um pouco de Pierre, e disse nervoso:

— Conde, este plano é uma insanidade! Como você pode confiar neste beberrão? Você acha que o príncipe regente acreditará nessa farsa sem pé nem cabeça?

O conde ficou sério:

— E o que você quer fazer? Tem outra sugestão melhor? Quer deixar que o príncipe regente se entregue aos franceses? No mais, fique tranquilo, Dom João jamais esteve com Napoleão, e Pierre fisicamente se parece muito com o imperador francês! Acho que são primos distantes e essa parece ser a origem da rixa entre eles. Além disso, a imitação de Pierre é muito convincente! Não seremos desmascarados e, em menos de quarenta e oito horas, nós e a família real portuguesa embarcaremos para o Brasil!

O marquês de Linhaça não sabia o que dizer. O conde de Barra Funda passou a mão por sua enorme barriga e falou:

— Não há outro jeito! Temos que confiar no talento de Pierre! Vamos, marquês, acredite! Corra até o Palácio e acerte os detalhes

da bacalhoada. Mas não se esqueça, tem que ser algo muito íntimo, porque não há tempo de arrumar muitos falsos franceses para a encenação.

O marquês se lembrou de um importante detalhe:

— E o que faço com lorde Hunt? Posso contar tudo para ele?

— Quem é lorde Hunt? — perguntou o conde.

— Ele é o comandante inglês que já estava pronto para fazer a escolta da família real até o Brasil. É uma pessoa de confiança e que certamente vai querer nos ajudar, mesmo que seja em um plano maluco como esse.

O conde fez um minuto de silêncio. Depois, coçou novamente sua enorme barriga e respondeu:

— Está bem. Pode contar ao tal lorde nosso plano, mas peça a ele para que seja discreto. Se não, daqui a pouco, o plano chega aos ouvidos do príncipe regente e estaremos fritos. Agora, vamos! Não temos mais tempo a perder! Vá até o Palácio e providencie a bacalhoada. Enquanto isso, irei com Pierre arrumar o resto do plano. Mais tarde, nos encontraremos na minha casa e verá como tudo estará pronto para funcionar.

Sem saber o que fazer, o marquês de Linhaça partiu para o Palácio Real de Queluz. No caminho, para tentar se convencer de que o estranho plano tinha alguma chance de dar certo, repetia, sem parar, a frase do conde: "não há outro jeito, não há outro jeito, não há outro jeito[10]".

---

[10] Nota histórica: Com a ajuda dos ingleses, era possível que Dom João tivesse alguma chance de enfrentar o exército de Napoleão, em vez de vir para o Brasil. Ou seja, talvez tivesse outro jeito.

VI

A FALSA JOSEFINA

O conde de Barra Funda e Pierre entraram na carruagem do conde e, sob as orientações de Pierre, chegaram a uma viela, por onde seguiram até encontrarem um pequeno sobrado com aspecto decadente. Subiram pelas escadas estreitas e malcuidadas e bateram na porta. Uma linda moça abriu. Seu olhar era de espanto:

— Seu cachorro! O que te traz aqui?

— Marie, que prazer te ver! — respondeu Pierre, como se não tivesse ouvido a dura recepção.

Para surpresa do conde, os dois se abraçaram fortemente. Imediatamente, ela mudou da água para o vinho:

— Pierre, que bom te ver! Não reparem nesta bagunça! Vocês querem um chá?

— Não, Marie, não se preocupe. Temos pressa!

— Melhor assim, porque o chá acabou. Vou pegar água.

Pierre se apressou em resumir o plano:

— Amanhã, almoçaremos com o príncipe regente e a princesa Carlota Joaquina. Eu me farei passar por Napoleão e você será a imperatriz Josefina! À noite, Napoleão e Josefina serão presos e, com a ajuda inglesa, a família real portuguesa fugirá para o Brasil. Assim que a família embarcar, seremos libertados e poderemos gastar uma parte do dinheiro que ganharemos com uma boa bebida. Quer dizer, você pode gastar com outras coisas, se quiser! Aliás, conde, quanto vamos ganhar nisso?

O conde respondeu que não havia motivo para preocupação, já que o governo inglês certamente daria uma ótima recompensa pela fuga real. Marie estava preocupada:

— Esperem um pouco: vou me passar pela imperatriz Josefina? Como ela é?

O conde procurou tranquilizar Marie:

— Pois esta é a melhor parte deste inusitado plano: ninguém da corte portuguesa conhece Napoleão e sua esposa. Eles ficarão tão impressionados com a imitação de Pierre que você pode atuar normalmente. Basta apenas falar francês e ser educada[11]! Na verdade, quanto menos você falar, melhor!

Marie estava visivelmente animada com a possibilidade de recompensa, que a faria melhorar de vida.

— E com que roupa irei?

— Não se preocupe, senhora, o vestuário não será um problema! Já tenho alguém em mente! — respondeu o conde calmamente.

---

[11] Nota histórica: A verdadeira imperatriz Josefina era conhecida por seus hábitos finos: lia romances, cultivava flores raras e colecionava obras de arte.

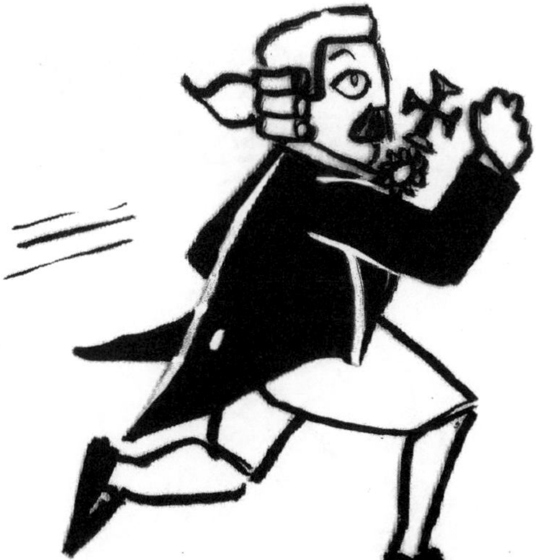

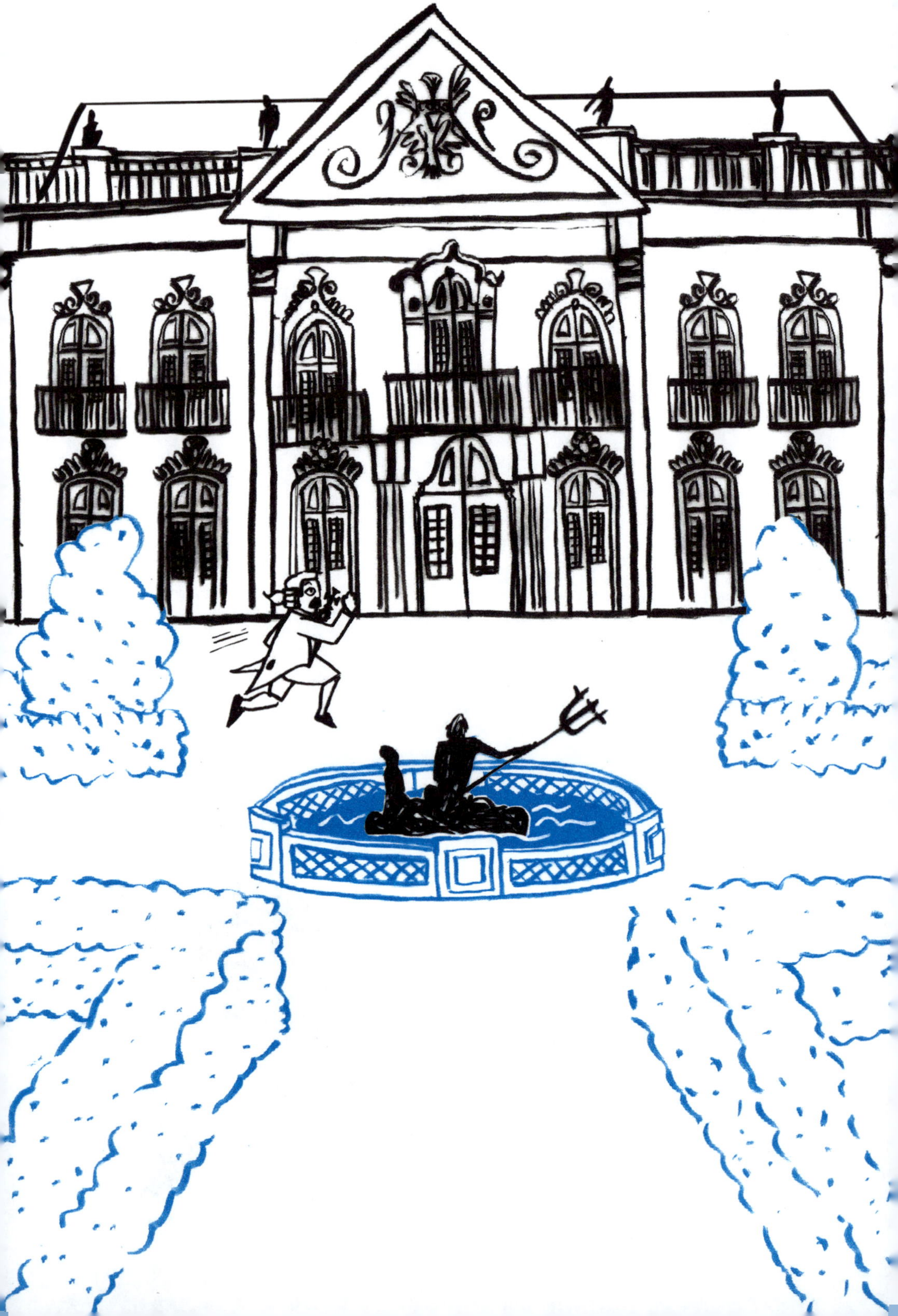

VII
O PALÁCIO REAL DE QUELUZ

O marquês de Linhaça foi até o Palácio Real de Queluz e encontrou Dom João no grande salão. Andava impacientemente, de um lado para o outro, enquanto seus filhos Pedro e Miguel brigavam para ver quem ficava em cima do trono. Quando um subia, o outro era empurrado para baixo. Dom João disse em tom sério:

— Meninos, parem já! Não quero vê-los brigando por este trono, nem de brincadeira! Marquês, que bom vê-lo. Quais são as novidades?

Quando o marquês contou a Dom João que Napoleão Bonaparte tinha aceitado o convite e que estava ansioso para a bacalhoada, o príncipe regente não se conteve:

— Que maravilha! Sou realmente um gênio!

— Vossa Alteza estava certa! Mas há uma condição imposta pelo imperador: ele quer um almoço reservado, sem nenhum membro da corte portuguesa ou da francesa. Acho que ele quer mostrar o grau de amizade que une os dois reinos!

— Que notícia esplendorosa! O homem que mais tem inimigos no mundo quer ser meu amigo íntimo!

O marquês disse que cuidaria do convite para o almoço no dia seguinte. Dom João ficou animadíssimo:

— Ótimo! E não se esqueça dos doces portugueses de sobremesa! O imperador sairá daqui tão impressionado com a nossa culinária que virá sempre nos visitar. Assim, ficaremos cada vez mais amigos e logo, logo serei o conselheiro de Napoleão. Daí, Portugal vai voltar a ser tão importante como era na época dos descobrimentos! — disse Dom João, eufórico.

O marquês abriu um sorriso, e deu sua última sugestão:

— Um detalhe é fundamental: precisamos ser discretos em relação a esse almoço com Napoleão. Se os ingleses descobrirem algo antes da hora, podemos colocar tudo a perder! Além disso, muitos portugueses estão nervosos com esta situação incerta. Uma confusão, em uma hora como estas, pode causar uma revolução! E a família real nada ganha com isso!

Dom João franziu a testa de preocupação:

— Bem lembrado! Falarei apenas com a princesa Carlota Joaquina.

De repente, a porta se abre. É a rainha D. Maria I, mãe de Dom João.

— Um almoço com Napoleão? Que ideia esplêndida! Faz tempo que não falo francês e iria ser muito bom lembrar algumas coisinhas. Sabe, Napoleão, ando um pouco esquecida — disse a rainha mãe dirigindo-se ao marquês, completamente desnorteada.

O marquês deu um riso nervoso, enquanto Dom João procurou desconversar:

— Almoço com Napoleão? Com todo respeito, mamãe, a senhora está bem?

— Meu filho, estas paredes têm ouvidos! E podem até dizer que sou louca, mas, com certeza, não sou surda!

Dom João ainda estava pensando no que responder, quando foi cortado por seu filho Pedro:

— Vovó, a senhora não tem medo de Napoleão? Falam que ele é muito mau!

— Medo? Dizem que ele é baixinho! Eu vou ter medo de alguém pequeno?

— Mas de mim você tem medo, não é, vovó? — perguntou Miguel, enquanto levantou uma espada de brinquedo.

— Eu não tenho! — respondeu Pedro, enquanto correu para tomar novamente conta do trono.

Para surpresa do marquês, desta vez, Dom João não foi duro como antes:

— Pedrinho, se algum dia eu tiver que perder parte deste trono, antes seja para ti, que me hás de respeitar, do que para algum desses aventureiros[12].

Miguel olhou para Dom João com cara de espanto:

— Pai, o que quer dizer aventureiro?

Antes que o príncipe regente respondesse, D. Maria I se antecipou:

— Aventureiro é quem tira o rei do trono sem ter este direito.

O marquês de Linhaça pediu licença para não acompanhar aquela conversa de loucos e partiu do Palácio Real aliviado. O inusitado plano ganhava corpo e, estranhamente, parecia fazer algum sentido. Ao colocar os pés para entrar em sua carruagem, ouviu seu nome ser chamado. A voz meio rouca era única e inconfundível: a de lorde Hunt.

— Como vai, senhor marquês? Alguma notícia especial para fazê-lo tão feliz?

---

[12] Nota histórica: Em 1821, antes de partir do Brasil para retornar a Portugal, Dom João VI disse a seu filho Pedro: "Se o Brasil for se separar de Portugal, antes seja para ti, que me hás de respeitar, do que para algum desses aventureiros." Em 1822, Dom Pedro proclamou a independência do Brasil (passou a ser Dom Pedro I) e, em 1831, abdicou do trono brasileiro e retornou para Lisboa para impedir que seu irmão Miguel tomasse de Maria II (filha de Dom Pedro) o trono de Portugal. Em 1834, ele venceu a guerra contra o irmão (em Portugal, se tornou Dom Pedro IV). Poucos meses depois, ele morreu no Palácio de Queluz, no mesmo quarto e na mesma cama onde nascera.

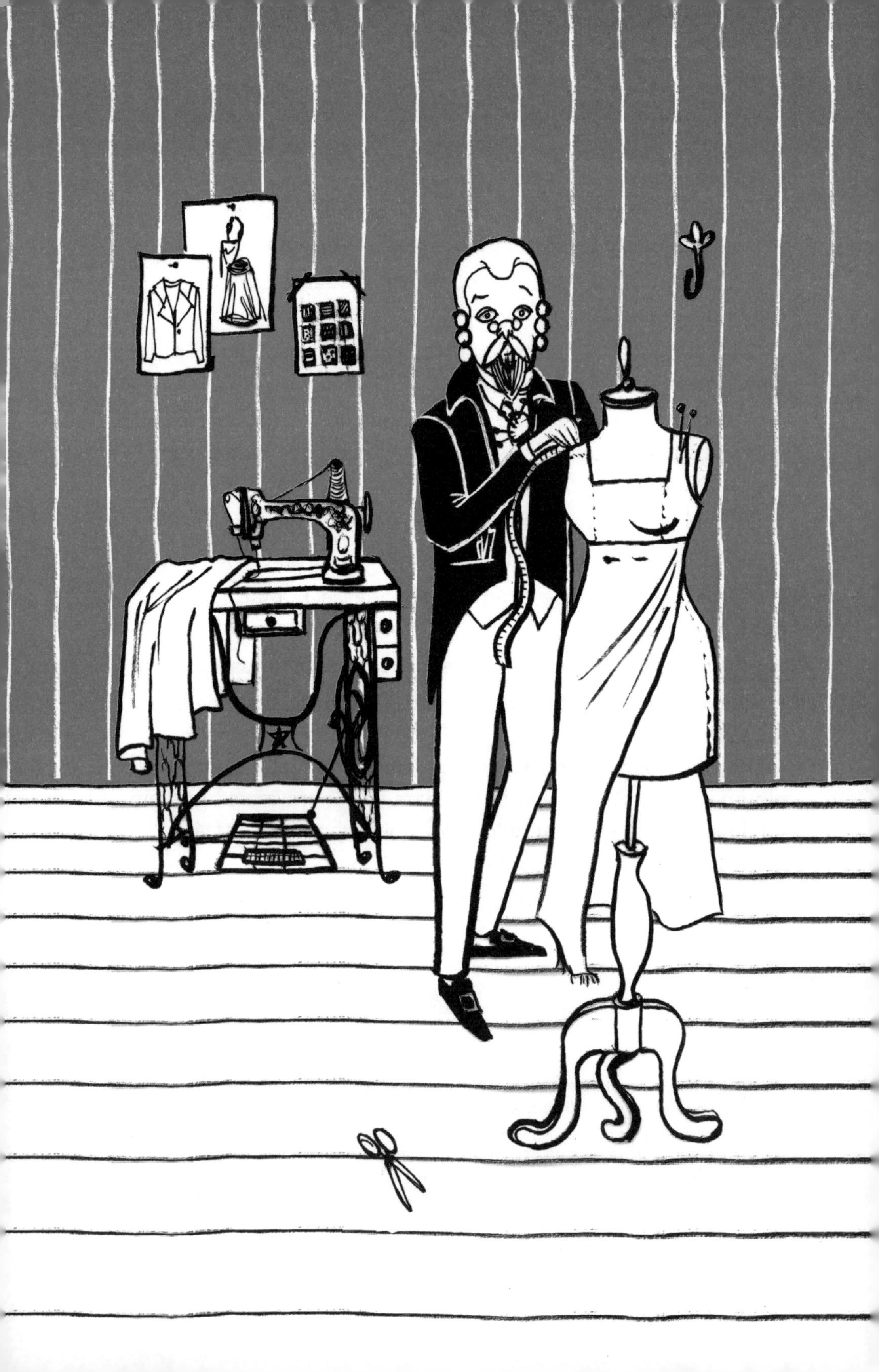

VIII

O ALFAIATE

Do outro lado da cidade, o conde de Barra Funda conduzia Pierre e Marie por ruelas cada vez mais estreitas. Marie, que tinha passado por muitos buracos de Lisboa, estava surpresa com os conhecimentos do conde e de como ele se locomovia com tanta rapidez com aquela enorme barriga. Depois de algum tempo, encontraram um sobrado malcuidado. Subiram a velha escada de madeira que rangia tanto que seria impossível chegar sem avisar. Ainda assim, o conde gritou:

— Francisco, sou eu!

A porta se abriu e um senhor alto, de bigode, apareceu com um largo sorriso.

— Pipe, que alegria! — respondeu o homem, que deu um forte abraço no conde.

— Pipe? — questionaram, em coro, Marie e Pierre.

— Não temos tempo para perguntas inúteis. — disse o conde. Depois, dirigiu-se a Francisco, enquanto apontou para Pierre e Marie: — Caro amigo, sei que parece estranho, mas, amanhã, no Palácio Real de Queluz, o imperador Napoleão e a imperatriz Josefina têm um almoço secreto e reservado com o príncipe regente e a princesa Carlota Joaquina. Infelizmente, eles partiram com pressa e esqueceram suas roupas em Paris. Sabe como são essas coisas!

Mesmo sem entender exatamente o que o conde tramava, Francisco abriu um sorriso:

— Pipe, fique tranquilo! Tenho tudo de que precisam. Para o imperador, tenho uma antiga roupa que já foi do Napoleão e que já tem até um lugar para colocar a mão na barriga[13]. Precisa apenas de um rápido conserto e ficará parecendo nova. Para a imperatriz, temos algumas opções. Acho que em duas ou três horas o problema das roupas será solucionado.

— Perfeito!

— Por favor, imperador, venha para cá. Preciso de alguma luz para ver melhor os detalhes. Meus olhos cansados já não são mais tão bons como antes — disse Francisco, sem perder o sorriso.

Depois, o alfaiate abriu um armário cheio de roupas. Enquanto enfiava as mãos pelas blusas, começava a cantarolar a *Marseillaise*[14]. Pierre e Marie não resistiram e logo fizeram coro no hino francês. Francisco largou tudo e tirou Marie para dançar, enquanto Pierre começou a gritar:

— *Vive la France*! Vamos brindar! Onde está o vinho?

O conde se destemperou:

— Francisco, pare com isso, não temos tempo para besteiras! Pierre, vinho? Você está proibido de beber enquanto for Napoleão, ouviu bem?

---

[13] Nota curiosa: Não se sabe a razão de Napoleão aparecer em alguns retratos com a mão na barriga. Podia ser por fortes dores no estômago ou ser apenas moda artística da época, já que outros personagens importantes da história são retratados com a mão na barriga.

[14] Nota curiosa: A *Marseillaise*, hino da França, foi composta em 1792, durante a Revolução Francesa, e ficou conhecida por esse nome porque era cantada por soldados da cidade de Marseille. O verdadeiro Napoleão impediu que fosse tocada durante seu reinado porque era uma canção revolucionária. (De fato, é uma canção muito empolgante: quando é cantada no início dos jogos de futebol, dá até vontade de torcer pela França.)

Pierre ficou imóvel com a advertência. Francisco intercedeu:

— Pipe, não sei exatamente o que você planeja, mas como seria possível que Napoleão fosse a um almoço e não bebesse vinho? Além disso, se todos beberem um pouco, o almoço será mais descontraído e o seu plano correrá menos riscos!

O conde de Barra Funda não sabia qual risco era maior. Com medo de se arrepender e sem muito pensar, olhou para Pierre e respondeu:

— Está bem! Pode beber, imperador — mas, com moderação, muita moderação.

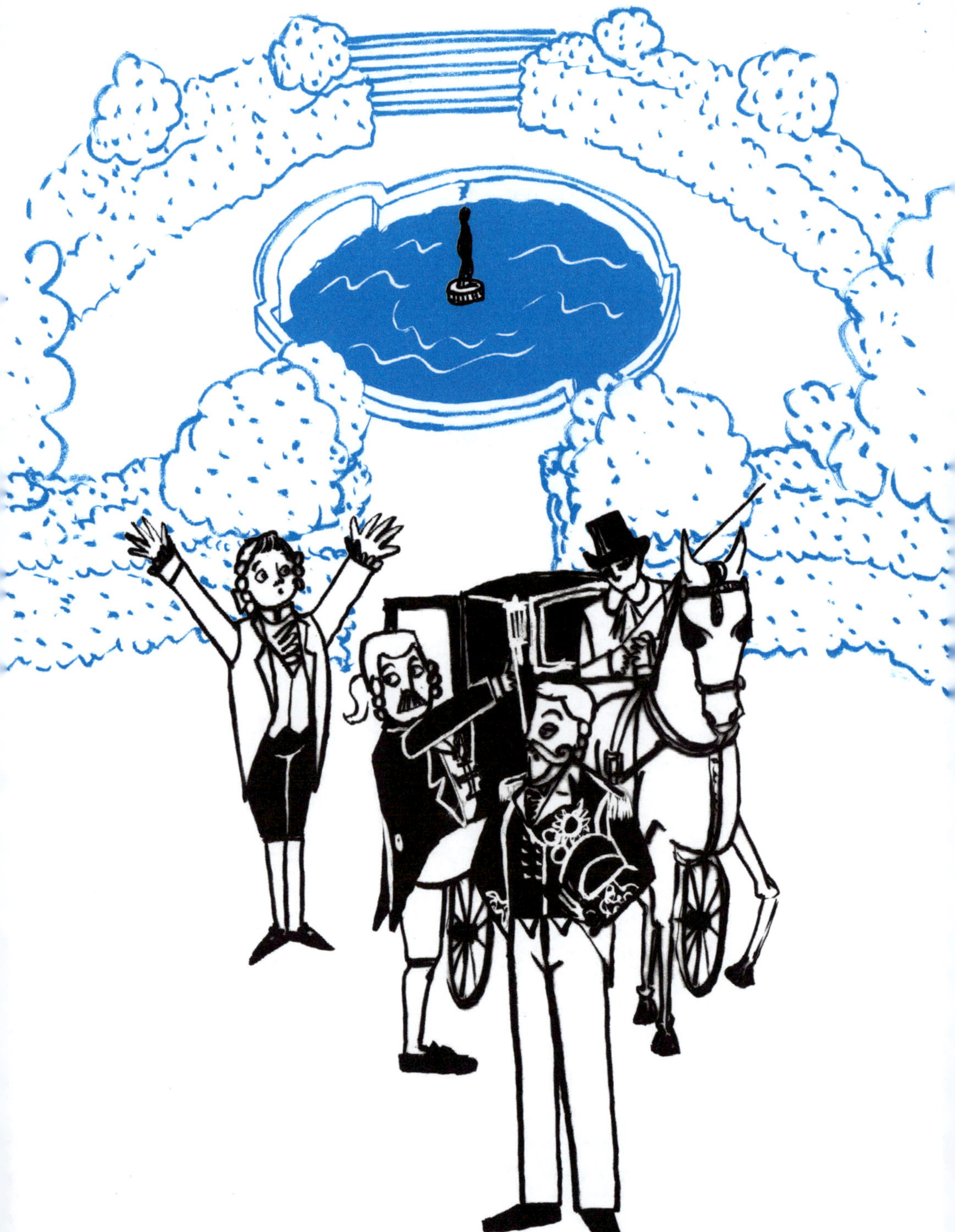

IX
UM ENCONTRO INDESEJADO

Ao sair do palácio, o marquês de Linhaça estava prestes a pegar sua carruagem quando ouviu a voz rouca de lorde Hunt repetir a sua pergunta:

— Então, caro marquês, qual é a notícia especial que o faz tão feliz?

— Meu caro lorde, que prazer encontrá-lo! Estava à sua procura! O negócio é o seguinte...

O marquês ouviu novamente seu nome ser chamado. Desta vez, por uma voz que não gostaria de ter escutado.

— Marquês, que bom encontrá-lo!

— Barão de Sobreira, que bom revê-lo! — respondeu o marquês, disfarçando o desconforto.

— Ah, marquês, que tempos agitados estes! Napoleão está tomando toda a Europa e agora quer a nossa linda Lisboa! Por que ele não passa uns tempos em Viena? Dizem que a cidade também é encantadora!

O marquês ficou mudo. Lorde Hunt acompanhava a cena em silêncio, embora sentisse um leve incômodo no calo de seu pé direito. O barão continuou a falar:

— Mas sabe como são as coisas: há muitos boatos nestes períodos confusos. Dizem que a família real quer partir escondida daqui e muitos portugueses não terão como ir. Eu, por exemplo, um reles barão, não tenho qualquer chance de partir com a alta nobreza. Infelizmente, ficarei com alguns fidalgos[15] à espera dos franceses.

— Não se pode acreditar em tudo o que se ouve — desconversou o marquês.

— Claro que não! — respondeu o barão com um leve sorriso. — Mas há uma notícia que me deixou intrigado. Ouvi dizer que o príncipe regente está pensando em fazer uma bacalhoada para os franceses e que Napoleão viria a Lisboa para almoçar com nosso monarca e selar esta aliança.

Lorde Hunt sentiu uma forte pontada em seu calo do pé direito e reagiu imediatamente:

— Napoleão, em Lisboa? As notícias que tinha eram que o exército francês chegaria comandado pelo general Junot[16].

— Não, caro Lorde! A notícia que ouvi é que Napoleão fez questão de vir a Lisboa pessoalmente para um encontro com seu mais novo aliado, porque assim, só assim, a Inglaterra ficará definitivamente isolada do continente europeu! — respondeu o barão com uma forte dose de provocação.

— Isso é gravíssimo! O senhor sabe alguma coisa a esse respeito, senhor marquês? — perguntou lorde Hunt.

O barão insistiu:

---

[15] Nota curiosa: Fidalgo é quem tem um título de nobreza. A palavra vem da aglutinação de filho de algo. No passado, os títulos de nobreza variavam de acordo com a importância: duque, marquês, conde, visconde e barão, este o menos importante.

[16] Nota histórica: O general Junot fez carreira militar com Napoleão. Ele comandou a invasão de Portugal e entrou em Lisboa em 30 de novembro de 1807, um dia após a partida da família real portuguesa.

— Então, senhor marquês, quais são as notícias mais frescas do Palácio? É verdade que Napoleão está a caminho e que em poucos dias teremos uma bacalhoada em sua homenagem?

O marquês de Linhaça tentou desconversar:

— Não sei de nada! O senhor acha mesmo que o imperador francês viria até este fim de mundo? O que mais dizem por aí? O imperador francês planeja conhecer o Brasil?

— Não, marquês! O que dizem é que o príncipe regente está ansioso por conhecer Napoleão, por quem tem uma enorme admiração! — continuou o barão em sua provocação.

— Traidores! — gritou lorde Hunt, enquanto sentiu a dor em seu calo aumentar. — Tenho que partir imediatamente!

— Calma, lorde Hunt! Precisamos conversar! — gritou o marquês de Linhaça, enquanto viu o comandante inglês se perder na multidão.

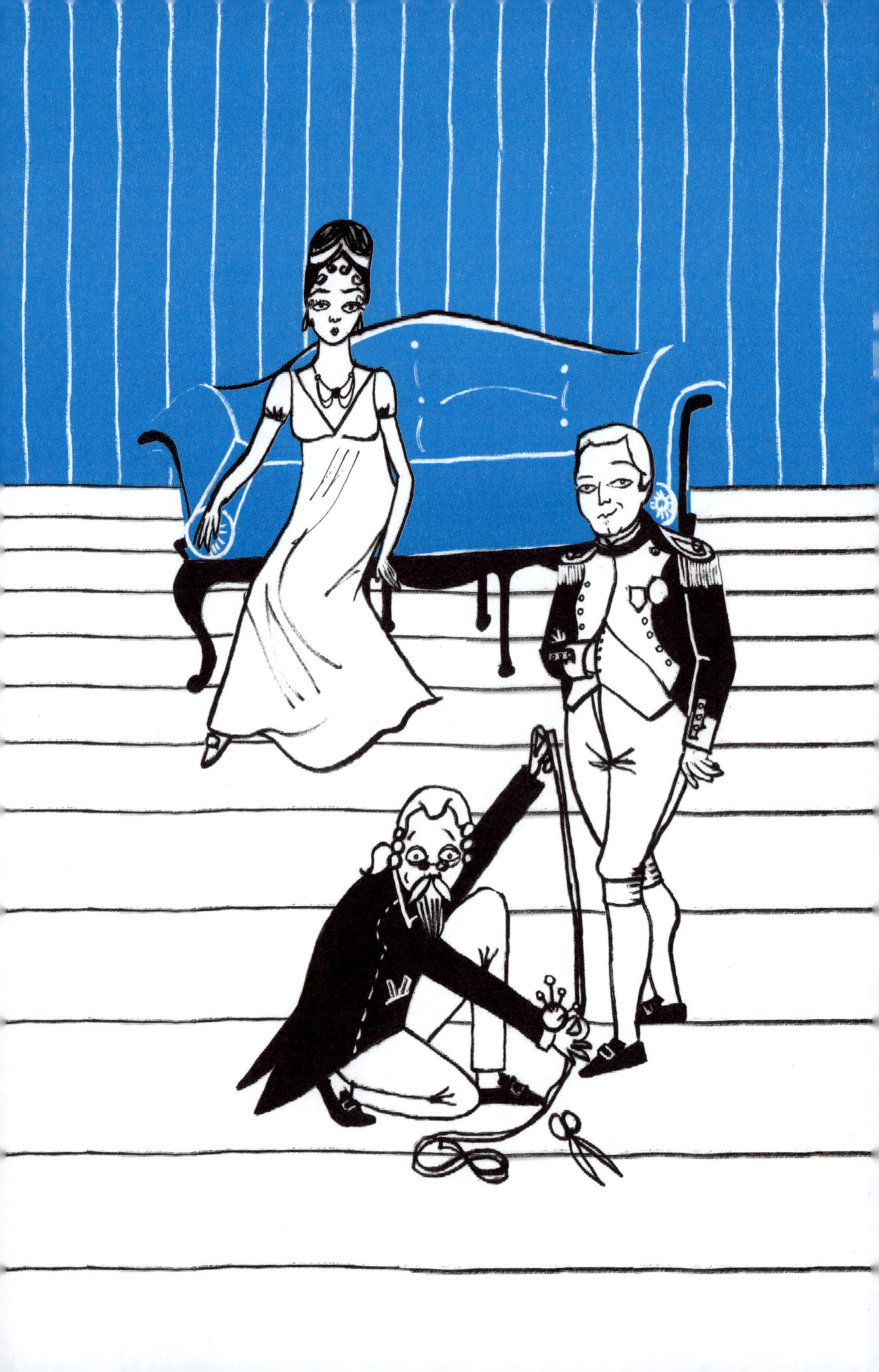

X
OS ÚLTIMOS ARRANJOS

Já era tarde quando o marquês de Linhaça bateu à porta da casa do conde de Barra Funda. Ao entrar, teve uma agradável surpresa: Pierre e Marie estavam sentados no sofá, com trajes de gala, como se fossem o imperador e a imperatriz da França. Conversavam algo em francês, que o marquês pouco entendia. Pierre fazia uns trejeitos engraçados que deviam ser típicos do verdadeiro imperador.

— Marquês de Linhaça, é uma honra para mim apresentar a Vossa Excelência o imperador da França, Napoleão Bonaparte, e sua esposa, a imperatriz Josefina.

— *Comment allez-vouz*? — perguntou o falso imperador, com tom sério.

A falsa imperatriz fez um leve aceno com a cabeça. O marquês estava perplexo:

— Incrível! Não há a menor chance de dar errado! Vamos para o Brasil! Parabéns, conde! Esta transformação é magnífica!

O conde estava nitidamente orgulhoso:

— É realmente um belo truque! Mas muito disso devo ao Francisco, um velho amigo, que, para nossa grande sorte, é o alfaiate real. Ele fez estas roupas com muita competência.

Além disso, conhece bem aquele palácio e está disposto a nos ajudar no que for preciso — respondeu o conde, enquanto apontou para Francisco, que estava tão imóvel no canto da sala que o marquês ainda não tinha percebido a sua presença.

Francisco curvou o corpo em sinal de reverência e disse sorridente:

— Prazer, marquês. Já ouvi muito falar do senhor, um grande homem e sempre muito leal ao nosso querido príncipe regente. Infelizmente, jamais tive a chance de encontrá-lo no Palácio.

Depois, fez uma pequena pausa e abaixou a cabeça, como se estivesse falando com modéstia:

— Mas devo dizer que o conde exagera quando fala da minha ajuda. A roupa de Pierre é do próprio Napoleão. Consegui com um antigo alfaiate dele. Fiz apenas alguns ajustes. Na de Marie, tive que improvisar um pouco, mas já tinha um vestido quase pronto. Estou feliz que tudo ficou bom!

O marquês também sorriu:

— Bom? Está maravilhoso! De outro lado, agradeço a ajuda, mas não sei se o conde lhe avisou que, se a farsa for descoberta, poderemos ser presos ou até mortos!

O alfaiate não demonstrou nenhuma preocupação.

— Sei que corro esse risco, mas jamais poderia deixar nosso querido príncipe regente entregar Portugal para o terrível Napoleão! Além disso, temo muito pelo futuro do pequeno Pedro. Sou muito afeiçoado àquele menino. Que criança incrível!

O marquês abriu um novo sorriso, enquanto colocou a mão no ombro do conde:

— Ainda bem que você tem bons amigos! Sem você, Portugal estaria perdido!

O conde esfregou a mão na enorme barriga, como se tivesse o mundo inteiro ali dentro, enquanto respondeu:

— Calma, marquês! A guerra ainda não está ganha! Temos muitos ajustes para fazer! E nisso sua ajuda é fundamental, porque você conhece bem o príncipe regente e precisa nos orientar!

O marquês contou várias coisas que sabia sobre Dom João e Carlota Joaquina e quanto eles temiam perder o seu poder real. De repente, interrompeu seu relato e deu um tapa na testa:

— Como pude me esquecer disso? Preciso encontrar lorde Hunt imediatamente! Antes que ele parta para a Inglaterra!
Se isso acontecer, teremos uma guerra de verdade e não haverá doce português que consiga tirar o azedo da situação!

O marquês correu para a porta e disse em tom apreensivo:

— Amanhã, às onze horas, em frente ao mercado de peixes. De lá, iremos ao Palácio Real. Temos que entrar pela porta lateral para chamar menos atenção. Depois de me encontrar com o lorde, passo no Palácio e vou descobrir por qual portão o príncipe regente quer que entremos. Espero que tudo corra bem! Desde já, boa sorte a todos!

— *Au revoir! Vive la France!* — respondeu o falso imperador, levantando uma taça de vinho.

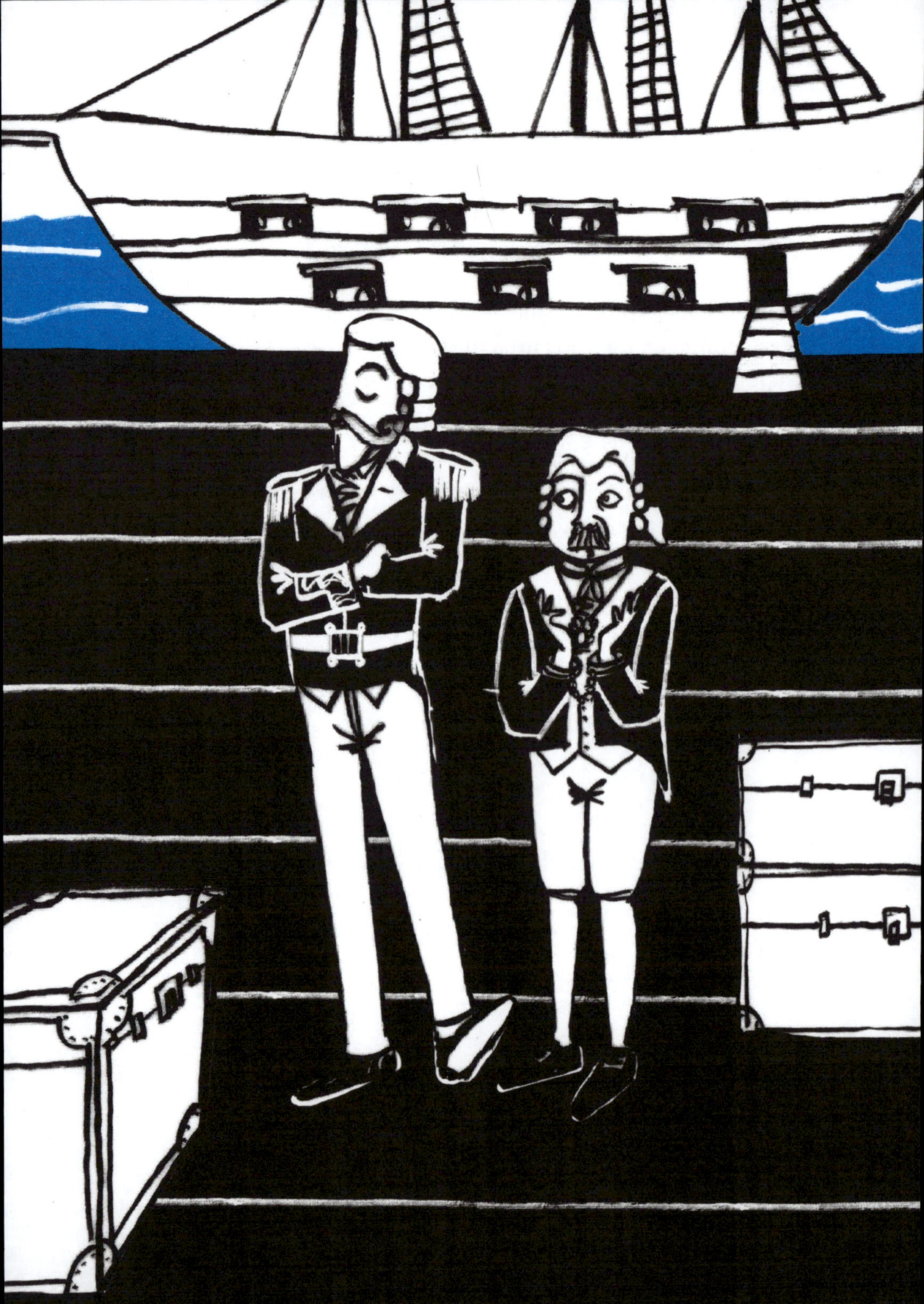

XI

A PRISÃO DO MARQUÊS

Ao chegar ao porto, o marquês de Linhaça se dirigiu ao navio de lorde Hunt e, em pouco tempo, encontrou o comandante inglês, que estava ainda mais sério do que habitualmente.

— Marquês de Linhaça, o senhor não é digno de confiança. Depois de tantos acertos para a partida da família real, descubro que o imperador Napoleão será recebido com uma bacalhoada.

— Lorde Hunt, preciso que me escute! Sei que a minha história parecerá inusitada, mas se o senhor me deixar chegar até o fim...

Com um gesto das mãos, lorde Hunt ordenou:

— Prendam este homem!

O marquês não reagiu à prisão, mas disse nervoso:

— O senhor precisa me ouvir.

— Caro marquês, estou certo de que o senhor só viria aqui com uma história rocambolesca. Afinal, que razão haveria de procurar o inimigo, se não fosse para apresentar um belo conto português?

O marquês começou a contar o plano e, quando disse que um falso Napoleão se encontraria com o príncipe regente, o lorde deu uma enorme gargalhada:

— E o senhor acha mesmo que irei acreditar nessa balela?

— Lorde, já está tudo arranjado! Além do falso imperador, temos uma falsa imperatriz, e o príncipe regente está animado com o encontro!

O lorde respondeu com ironia:

— Marquês, só por curiosidade, quem inventou isso tudo: D. Maria I, a Louca? Vocês, portugueses, são muito engraçados, só porque são tontos, acham que o resto do mundo também é?

O marquês começou a suar frio. Percebeu que, por mais que tentasse, lorde Hunt dificilmente acreditaria na sua história, ainda mais se contasse que o falso imperador era um beberrão. De repente, um argumento inesperado sensibilizou o lorde:

— Não gosto dos franceses! Não consigo imaginar uma ocupação francesa aqui! Com o tempo, eles roubariam até nossos doces típicos[17]!

O inglês abriu um leve sorriso[18]. O marquês insistiu:

— Vamos até o portão do Palácio! O falso Napoleão deve chegar ao meio-dia. Talvez, o senhor note algo que o faça acreditar em mim!

Lorde Hunt ajeitou sua peruca branca e respondeu com sua voz rouca:

— Está bem! Vamos até o portão do Palácio! Mas, se tentar fugir, mando atirar ali mesmo! O senhor não terá a mínima chance de escapar!

— Lorde, reconheço que é uma história tão esquisita que, se der certo e for contada, muitas pessoas jamais vão acreditar nela. Mas é nossa única chance diante de um príncipe regente tão teimoso!

---

[17] Nota culinária: Se você não conhece, vale a pena experimentar os doces típicos portugueses. São deliciosos! Aí vai uma boa dica: barriga de freira.

[18] Nota histórica: A implicância de lorde Hunt com os franceses poderia ter razões históricas: ocorreram muitas guerras entre Inglaterra e França. Uma delas foi de 1337 a 1453 e, apesar de ter durado 116 anos, ficou conhecida como Guerra dos Cem Anos.

— respondeu o marquês um pouco mais calmo.

— Está bem! Vamos ver o que este encontro com o imperador pode nos render! Vou soltá-lo, marquês, e iremos imediatamente ao Palácio Real. Mas, lembre-se, nada de truques!

— Lorde Hunt, o senhor verá que pode confiar em mim.

Eles partiram rumo ao Palácio Real. Na carruagem, o silêncio foi cortado pela voz rouca do lorde:

— Marquês, é verdade o que o senhor disse sobre os franceses?

— É, não gosto dos franceses!

O lorde respondeu um pouco constrangido:

— Caro marquês, estou começando a perceber que fui injusto em minha avaliação prévia. O senhor parece ser digno de confiança!

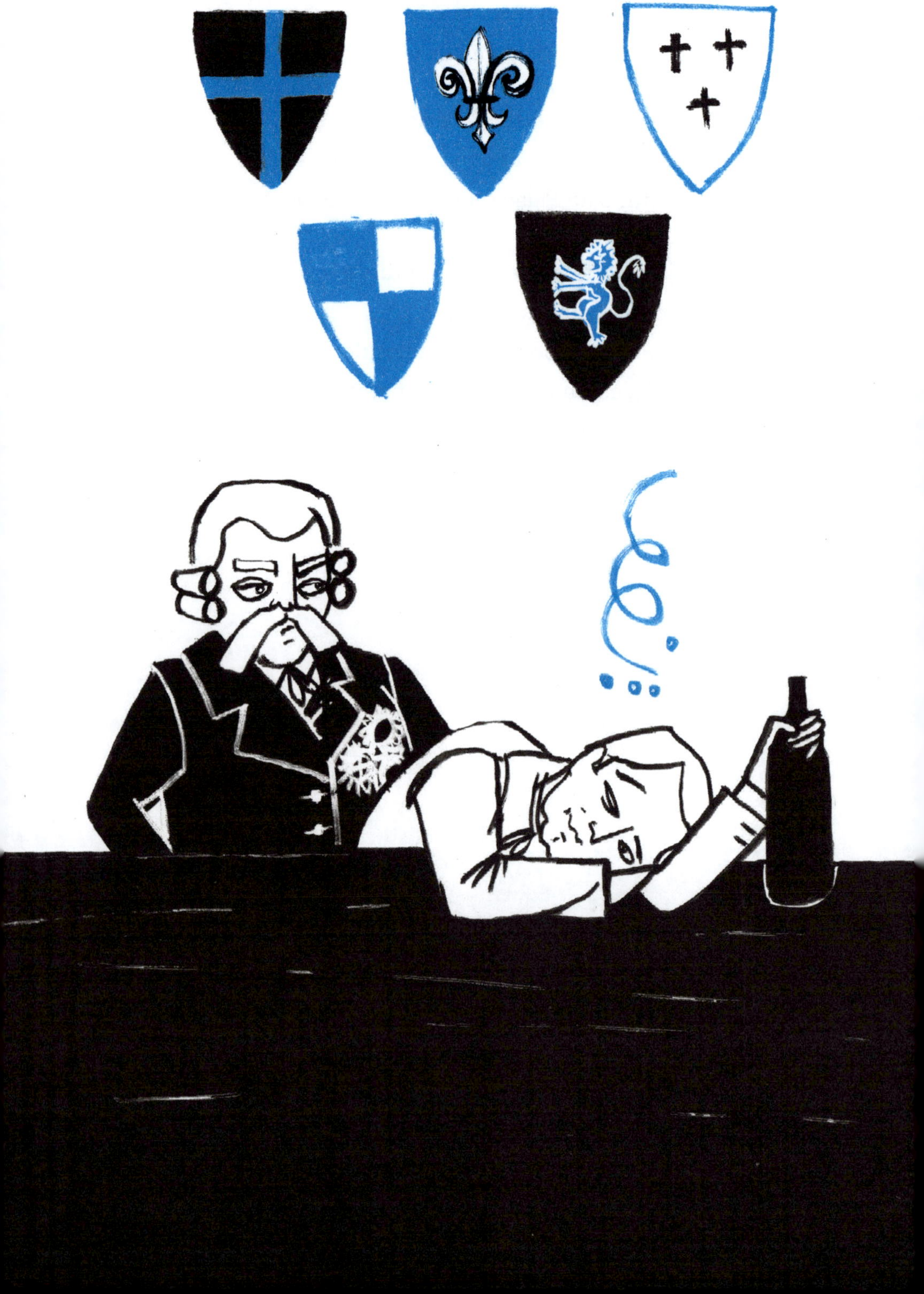

XII
UMA AJUDA INESPERADA

Eram dez horas da manhã quando Marie chegou à residência do conde de Barra Funda. Ao vê-la sozinha, ele quis saber o que havia acontecido com Pierre. Ela se ofendeu:

— Você acha que eu passaria a noite com aquele beberrão?

O conde ficou apreensivo, pegou as roupas que seriam usadas e correu com Marie para o local onde Pierre certamente estaria: a Taberna Real. Ao chegarem lá, viram Pierre sentado em uma mesa no canto. Felizmente, sobre a mesa havia apenas uma garrafa que ainda não tinha sido aberta. O conde pediu a conta, que, como de costume, cobrou muito mais do que estava na mesa. Ele pagou sem discutir. Entraram correndo no coche. A carruagem saiu apressada pelas ruas de Lisboa, mas só chegou ao mercado de peixes muito tempo após a hora marcada.

— O marquês já deve ter partido! Teremos que ir sozinhos! — disse o conde nervoso.

— Sozinhos? Como entraremos no Palácio? — perguntou Marie.

— Calma! Neste tipo de situação, temos que contar com um pouco de sorte! Ainda assim, espero que esta seja a última que este beberrão me apronta! — respondeu o conde, enquanto esfregou a sua enorme barriga e apontou para Pierre, que parecia não se importar com a crítica.

A carruagem correu o mais rápido que pôde até que, perto do Palácio Real de Queluz, Marie deu um berro inesperado:

— Olhe, Francisco está na beira da estrada! Ele está fazendo sinal! Acho que quer nos dizer alguma coisa! Pare, pare!

O conde deu três batidas no teto, ordenando que a carruagem parasse.

— O que te traz aqui, caro amigo? — perguntou o conde surpreso.

— Vim para ajudar. Sou muito conhecido pela guarda e facilmente posso colocá-los dentro do Palácio — respondeu Francisco, já tomando assento ao lado do cocheiro e indicando o portão para onde deveriam se dirigir.

— Estamos com sorte! — comemorou o conde, olhando para Pierre, que parecia não se importar com nada do que estava se passando.

Em minutos, chegaram à porta do Palácio. De dentro do coche, pode-se ouvir Francisco falar para o guarda:

— Bom dia, meus amigos vieram se encontrar com o príncipe regente.

O guarda deu um sorriso e, imediatamente, autorizou a entrada da carruagem. Após se afastarem um pouco do portão, Francisco apareceu na janela.

— Agora, dirijam-se à porta lateral do Palácio. De lá, alguém irá acompanhá-los até o salão real. Eu ainda tenho algumas coisas a fazer para que o plano funcione. Nada pode dar errado — disse Francisco com um sorriso no rosto.

— Obrigado, meu grande amigo — respondeu o conde.

Quando a carruagem voltou a andar, Marie deu novo grito:

— Isso não vai dar certo! Vamos embora! Não quero ser presa!

O conde colocou a mão na boca de Marie e tentou acalmá-la:

— Calma, senhorita! Não temos a menor chance de fugir agora, pois já estamos no Palácio.

— Onde é que eu estava com a cabeça? Eu, me passar por Josefina, a imperatriz francesa?

Pierre intercedeu:

— *Ma chérie*, fique tranquila! Confie no seu talento! Será como nos tempos do teatro! Só que desta vez, ganharemos bem e, ainda, faremos história!

— Você é atriz? — perguntou o conde surpreso.

Marie respirou fundo, ficou séria e respondeu secamente:

— Gostaria que vossa senhoria me tratasse por Majestade! Não irei tolerar outro desrespeito desses!

— É realmente muito abuso deste conde, *ma chérie* — completou Pierre, incorporando o seu papel de imperador francês.

O conde abriu um sorriso esperançoso.

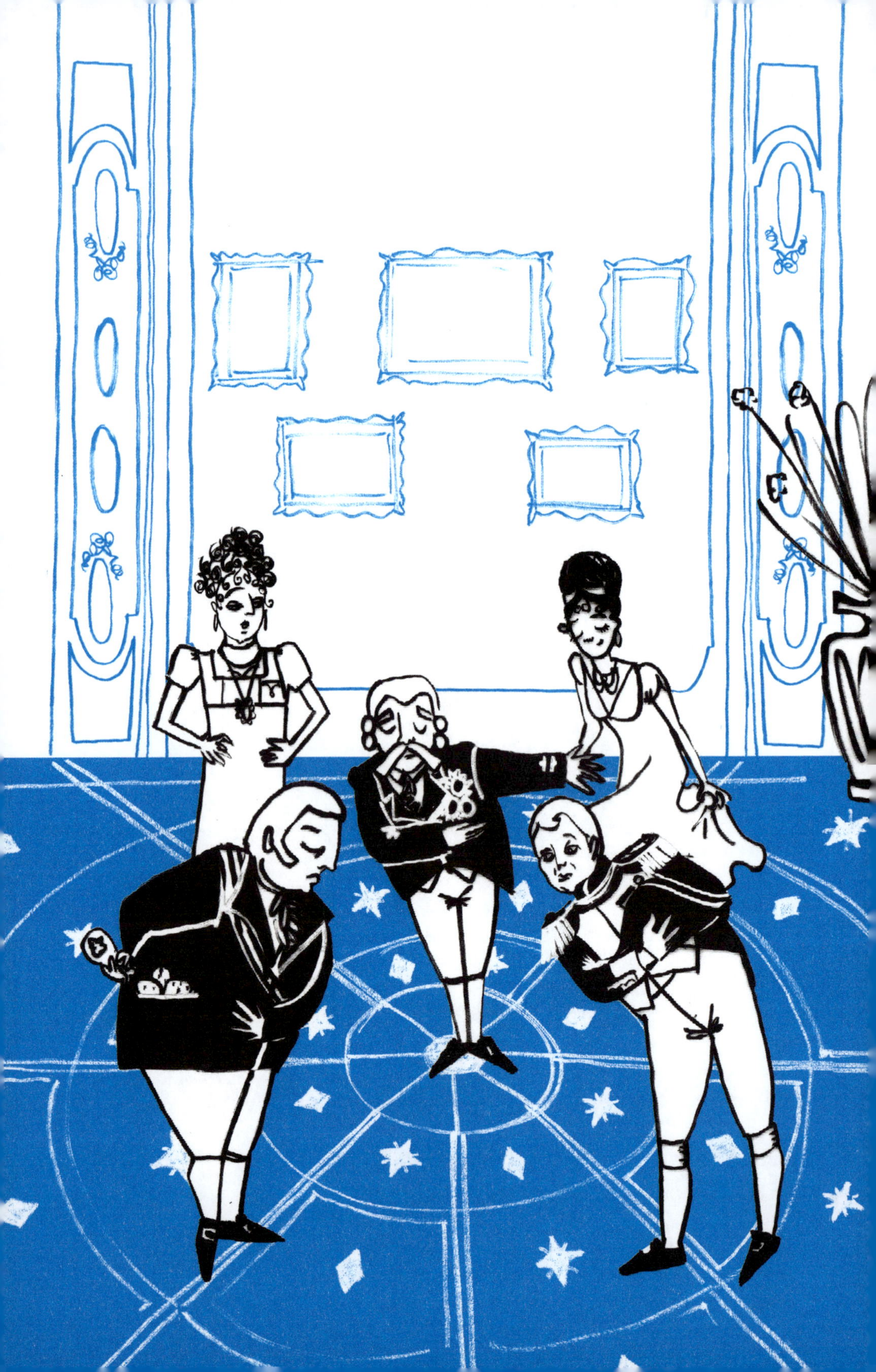

XIII
OS APERITIVOS

O conde de Barra Funda, o falso imperador e a falsa Josefina foram levados até um dos aposentos do palácio. A sala era ricamente decorada e Pierre e Marie ficaram encantados. Ao perceber o risco da situação, o conde cochichou:

— Tomem cuidado! Lembrem-se que vocês vão se encontrar com reis e que Napoleão e Josefina estão acostumados com o luxo! Não podemos vacilar em nenhum detalhe!

O príncipe regente e a princesa Carlota Joaquina não demoraram muito a aparecer. Pierre ficou surpreso ao ver que o príncipe regente tinha um aspecto sujo e usava uma roupa que parecia velha[19]. O conde curvou o corpo em reverência e tomou a palavra:

— Alteza, apresento-vos o imperador Napoleão e a imperatriz Josefina.

Imediatamente, o conde se penitenciou da gafe de apresentar reis que, mesmo que não se conhecessem, dispensariam apresentações. No entanto, Dom João foi educado:

---

[19] Nota histórica: Dom João era desleixado. Vestia-se mal, repetia a mesma roupa muitos dias seguidos e se recusava a trocá-la, mesmo quando estava suja e rasgada. Dizem que Dom João e Carlota Joaquina não gostavam de tomar banhos. Eca!

— Caro conde, quem não conhece o imperador da França e sua virtuosa esposa?

O conde deu um sorriso e, discretamente, fez sinal para que Pierre tirasse os olhos do bolso do casaco do monarca, de onde Dom João tirava pequenos pedaços de frango para comer[20]. Pierre procurava entender por que o conde se preocupara tanto com etiqueta, se o príncipe regente era tão descuidado. Para alegria do conde, Dom João falava bem francês e era amável com todos. Marie já estava descartando a hipótese de emboscada, quando lembrou que talvez ela não fosse a única atriz no recinto.
De repente, Dom João pareceu se dar conta de algo:

— Conde, o que o traz aqui? Achei que o imperador viria acompanhado do marquês de Linhaça.

O falso Napoleão se antecipou:

— Como pude me esquecer! O marquês teve um problema e não pôde vir, e o conde de Barra Funda é um velho amigo da família! Terei enorme alegria se ele puder almoçar conosco!

Dom João abriu os braços, como se fosse dar um abraço em todos:

— Perfeitamente! Se Vossa Majestade assim deseja!
A propósito, o imperador tem muitos amigos por aqui? Não sabia destes estreitos laços com os portugueses.

— Muitos! Mais do que Vossa Alteza imagina! Sei até falar um pouco da sua bela língua, ora pois! — respondeu o falso Napoleão, em português, forçando um sotaque francês.

Dom João ficou encantado e respondeu enquanto pegou mais um pedaço de frango no seu bolso:

— Que notável! O grande Napoleão sabe falar português! Ah! imperador, já ia me esquecendo, preferi fazer nosso almoço neste salão menor para não despertar a atenção de muitos serviçais. Assim, esta história não se espalha. Afinal, não queremos uma

---

[20] Nota histórica: Conta-se que Dom João carregava em seus bolsos pedaços de frango, sem ossos, assados na manteiga, que comia durante as refeições. Eca, novamente!

revolução por aqui! Especialmente, neste mundo doido em que vivemos: palácios invadidos, reis perdendo suas cabeças[21].

O falso imperador fez uma cara de dor, enquanto esfregava a mão na nuca. Carlota Joaquina procurou mudar o desconfortável assunto:

— Josefina, como é a vida na corte francesa?

— Muito agitada. Mais do que eu gostaria! — respondeu a falsa imperatriz com naturalidade.

O conde estava feliz porque tudo corria bem, quando Dom João fez a temida pergunta:

— Começamos com um vinho português ou com um francês?

— Podemos começar com os portugueses, mas quero provar vários vinhos diferentes! — respondeu o falso imperador, sob o olhar preocupado do conde de Barra Funda.

---

[21] Nota histórica: Na Revolução Francesa (1789), o povo francês invadiu o Palácio de Versalhes, onde residiam o rei Luís XVI e sua esposa, Maria Antonieta. Posteriormente, os reis foram presos e condenados à morte na guilhotina.

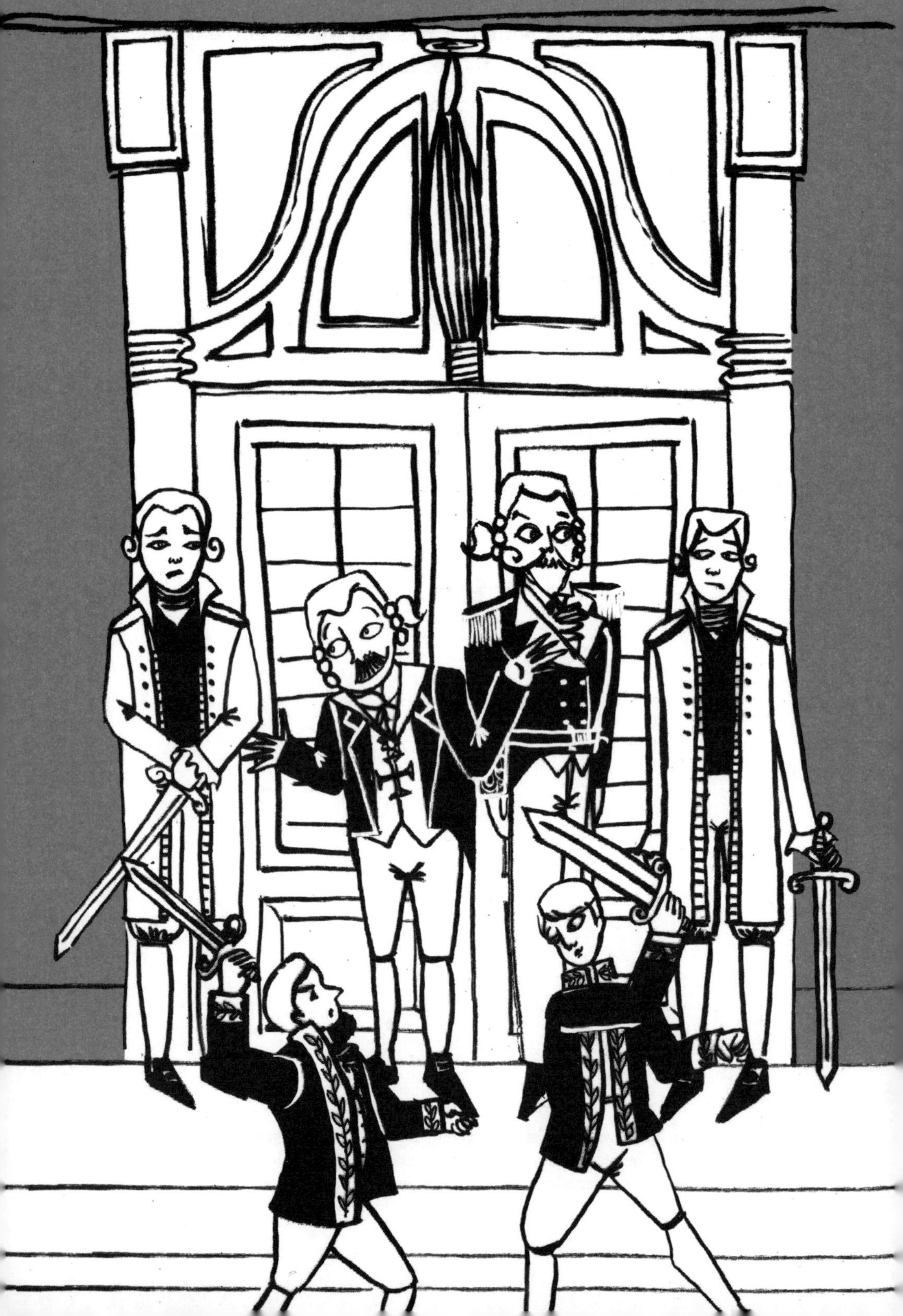

XIV
UMA AJUDA REAL

O marquês de Linhaça e lorde Hunt se dirigiram até o Palácio Real de Queluz de forma apressada. Lorde Hunt ainda não estava convencido do plano:

— Marquês, saiba que estou indo ao Palácio apenas porque, se tiver algum fundo de verdade nisso tudo, não quero entrar para a história como o comandante inglês que impediu que a família real portuguesa fugisse para o Brasil.

Marquês de Linhaça deu uma risada.

— Lorde, este plano é tão inusitado que, mesmo que dê certo, acho que jamais será contado nos livros de história. Mas o que podemos fazer diante de um príncipe regente tão inseguro e indeciso como o nosso querido Dom João?

— Desculpe-me a indiscrição, marquês, mas como é que vocês deixaram subir ao trono português um príncipe regente tão despreparado como esse?

— Lorde, Dom João não pode ser culpado por não ter sido preparado para ser rei. Como poderia saber que seu irmão mais velho morreria e ele seria o futuro rei? Ainda assim, Dom João é um bom príncipe regente, o problema mesmo é a princesa Carlota Joaquina. Que mulher difícil!

Lorde Hunt permanecia intrigado:

— E quem é este conde de Barra Funda? O senhor realmente confia nele?

— Pode ficar tranquilo, lorde. Não somos muito amigos, mas o conde é uma ótima pessoa e está bastante animado com a partida da família real portuguesa para o Brasil, onde acha que ficará rico. Além disso, ele não gosta dos franceses.

Lorde Hunt pareceu se conformar com a resposta. Ao chegarem ao portão, o guarda levantou a arma:

— Bom dia, senhores, mas hoje as visitas estão proibidas.

— Senhor, temos um encontro com Sua Alteza. Ele está nos esperando — argumentou o marquês.

— Desculpe-me, senhor, mas não tenho permissão para deixar passar qualquer pessoa.

O marquês se irritou:

— Mas sou o marquês de Linhaça, grande amigo do príncipe regente, e trago um ilustre visitante para se encontrar com ele! Dom João está nos esperando!

O guarda levantou ainda mais sua arma e respondeu em tom ríspido:

— Senhor, peço que se afastem daqui! Hoje, as visitas estão proibidas! Se os senhores não se afastarem imediatamente, vou chamar reforço e levá-los presos!

Lorde Hunt ficou desorientado. Sabia que uma invasão com os soldados ingleses poderia desencadear uma guerra de verdade. Por outro lado, tinha que entrar no palácio para saber exatamente o que estava acontecendo. Pensou em contar sobre a dor que sentia no calo do seu pé direito, mas antes que falasse qualquer coisa, o marquês avisou Dom Pedro correndo pelos jardins do palácio e deu um grito:

— Majestade! Majestade!

Dom Pedro se aproximou do portão e logo reconheceu o marquês.

— Majestade, preciso falar com o príncipe regente, mas este senhor não me deixa entrar — respondeu o marquês apontando para o guarda que permanecia sério.

O futuro imperador ordenou sem titubear:

— Eles são meus convidados! Abram os portões!

— O que você está fazendo? Espere até a mamãe saber disso! — gritou Dom Miguel que assistia à cena a distância.

— Miguel, se contar para a mamãe, vai se ver comigo! — respondeu Dom Pedro.

O guarda abaixou a arma e mandou abrir os portões, como determinado. O marquês e o lorde fizeram um sinal de reverência a Dom Pedro, que pareceu estar mais preocupado em continuar sua briga com Dom Miguel do que em cumprimentar seus convidados. Sem perder tempo, o marquês e o lorde entraram no palácio.

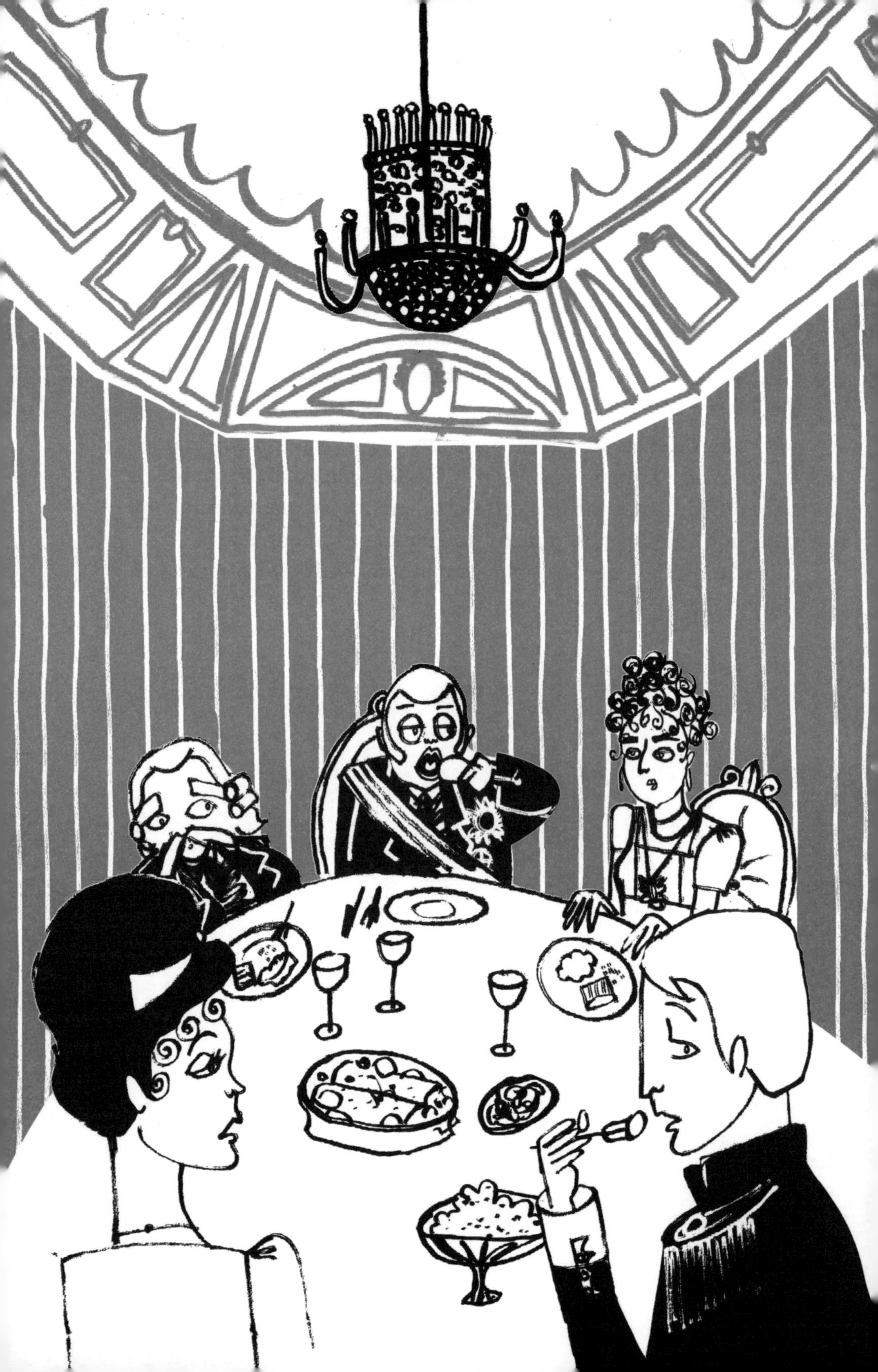

XV
A BACALHOADA

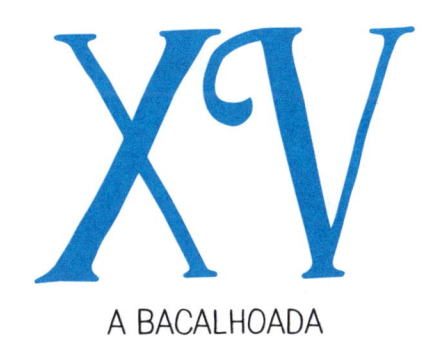

No salão real, o clima estava muito agradável. O falso Napoleão contava feitos sobre algumas batalhas e chegou a sugerir obras que Dom João deveria fazer para melhorar Lisboa, a começar com um Arco do Triunfo[22], que faria o príncipe regente ser lembrado para sempre. Dom João estava encantado.

— Podem servir a bacalhoada! Mais vinho?

— Com prazer! — respondeu o falso imperador, novamente sob olhar de repreensão do conde de Barra Funda.

Carlota Joaquina se ajeitou na cadeira e tomou a palavra:

— Imperatriz, tenho uma notícia que vai lhe agradar muito! Veja que feliz coincidência: minha dama de companhia já foi sua dama de companhia há alguns anos. Sei que este encontro é sigiloso, mas não consigo guardar segredos dela! Enfim, ela ficou muito animada quando soube que poderia reencontrá-la!

Os visitantes gelaram. Pela primeira vez no almoço, o conde lamentou que os presentes não tivessem bebido o suficiente, o que poderia evitar um enorme vexame e a prisão de todos.

---

[22] Nota histórica: Em 1806, o verdadeiro Napoleão ordenou a construção de um Arco do Triunfo em Paris, para comemoração de suas vitórias militares. O Arco somente ficou pronto em 1836, quando Napoleão já tinha falecido.

— E como é o nome dela? — perguntou a falsa Josefina meio sem graça.

— Madeleine — respondeu a princesa Carlota Joaquina.

— Madeleine? Não me recordo bem! São tantas damas! Há quanto tempo ela já está aqui em Portugal?

— Há dois anos!

— Há quatro anos! Quanto tempo! — desconversou a falsa Josefina.

— Imperatriz, eu disse dois anos!

— Pois veja só como anda minha cabeça! Se estou trocando os números, que dirá as pessoas!

Carlota Joaquina não se abalou:

— Não se preocupe, imperatriz. Tenho certeza de que Vossa Majestade irá se lembrar dela! Ela foi sua confidente por um bom tempo e para muitos assuntos!

— Então, sou eu que não quero conhecê-la! — interrompeu o falso imperador. — Sabe-se lá o que falaram de mim?

— Nada disso! Não farei esta maldade com a doce Madeleine! De jeito nenhum! Desde que contei para ela hoje cedo que a imperatriz Josefina estaria aqui, seus olhos não pararam de brilhar! Por favor, peça para que ela entre! — ordenou Carlota Joaquina para o rapaz que servia a mesa.

Em poucos segundos, Madeleine entrou no recinto. Seu enorme sorriso desapareceu assim que viu o rosto de Marie.

— Madeleine, como você está mudada? — despistou a falsa imperatriz.

— Sim, Majestade — respondeu a criada secamente.

— Você reparou como também estou bem diferente? Muitas pessoas que ficam algum tempo sem me ver nem me reconhecem! Não sei o que me passou!

— Sim, majestade — continuou Madeleine.

— Madeleine, não fique sem graça! Este é um almoço íntimo!

Tenho certeza de que a imperatriz não se importará se você falar algo com ela — cortou Carlota Joaquina.

A falsa imperatriz abriu um leve sorriso, como se concordasse com a princesa.

— Imperatriz, foi um prazer revê-la. Com a sua licença, acho que Vossa Majestade não mudou nada! Peço permissão para me retirar.

Todos assentiram. Na sala fez-se um longo silêncio. Carlota Joaquina pediu licença e partiu pela mesma porta por onde tinha saído Madeleine. Depois de cerca de quinze minutos, ela voltaria com o rosto vermelho e bastante nervosa.

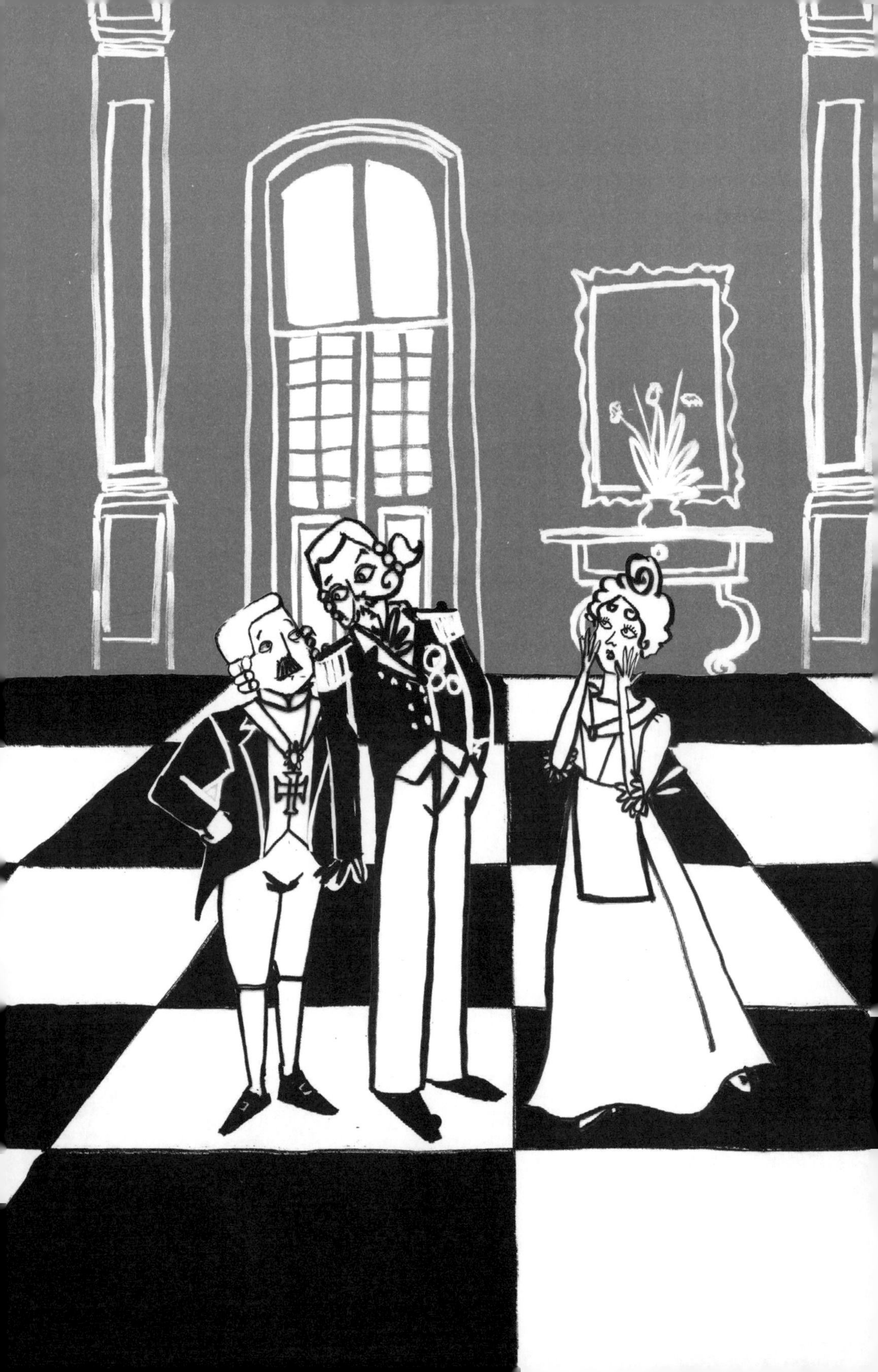

XVI
O CORREDOR REVELADOR

Enquanto se dirigiam para o salão nobre, marquês de Linhaça e lorde Hunt ouviram um burburinho no corredor. De longe, identificaram o corpo horrendo da princesa Carlota Joaquina[23]. Ela se despediu de alguém e entrou rapidamente no salão real. Quando chegaram mais perto, o marquês percebeu que era Madeleine, a dama de companhia da princesa. Havia algo estranho no ar. Sem hesitar, disse:

— O que houve, Madeleine?

— Nada, meu senhor — respondeu a dama, enquanto colocou a mão no seu vestido e se abaixou em sinal de reverência.

Lorde Hunt ficou encantado com a beleza de Madeleine, que parecia ser uma fina duquesa inglesa. A dama estava tão tensa que não percebeu o olhar fixo do comandante inglês.

— Como nada? Por que a pressa da princesa Carlota Joaquina? O que está acontecendo? Vamos, conte! Estamos do lado do príncipe regente e da família real! — continuou o marquês.

---

[23] Nota histórica: Carlota Joaquina era feia, magra, baixinha e mancava (por causa de uma queda de cavalo na infância).

Madeleine, sempre tão cuidadosa com os segredos reais, não se conteve:

— A imperatriz francesa que neste momento está almoçando com a princesa Carlota Joaquina é uma impostora! Quanto ao imperador, não posso ter certeza, mas há algo de muito estranho também! Estou quase certa de que aquele homem não é Napoleão Bonaparte!

— Napoleão aqui neste Palácio? Agora? Precisamos tomar uma medida imediatamente! — despistou lorde Hunt, que permanecia encantado com a beleza da dama de companhia.

Madeleine estava desorientada. Ela não gostou quando lorde Hunt disse que precisaria acompanhá-lo, para buscar reforços para proteger a família real, já que teria de dar informações aos soldados sobre o palácio.

— Mas não posso abandonar a princesa sozinha!

— Madeleine, a princesa já está abandonada à sua própria sorte! Quando ela voltar para a sala, certamente será rendida! Precisamos ajudá-la de outra maneira! — cortou o marquês.

A dama de companhia pôs a mão no rosto, horrorizada:

— Mas o que está acontecendo?

— Ainda não conseguimos descobrir com precisão! O certo é que o príncipe regente e a princesa correm risco de vida! — continuou o marquês.

— Oh! Meu Deus! Por que não fugimos para o Brasil? Tudo lá é mais tranquilo!

De repente, a rainha D. Maria I se aproximou sem ser notada:

— Fugir para o Brasil? Napoleão aqui no Palácio?

Ao perceberem a chegada da rainha, lorde Hunt e o marquês de Linhaça curvaram seu corpo, Madeleine fez um sinal de reverência.

— Então ele veio mesmo? Melhor eu colocar uma roupa mais adequada ou vocês acham que esta está apropriada? — questionou

D. Maria I, enquanto segurou a ponta de sua camisola e ajeitou a touca que usava na cabeça.

Fez-se um silêncio na sala. A rainha começou a conversar com um quadro pendurado na parede:

— Papai, que vontade eu tenho de conhecer o Brasil! Estou cansada de ficar presa neste palácio[24]! Só não sei se esta roupa está boa para me encontrar com o grande Napoleão. Será que vai chover muito nesta primavera?

Em seguida, D. Maria I saiu conversando com os outros quadros que estavam nas paredes do corredor. Passado o susto, lorde Hunt tentou voltar à dura realidade:

— Senhorita, venha comigo! Sinto uma sensação que nunca senti no calo do meu pé direito e não sei o que significa, mas, com certeza, precisamos buscar reforços! Marquês, percebo que o senhor estava falando a verdade quanto a esta inusitada história! Siga seu caminho e, se tudo der certo, nos vemos hoje mais tarde, no cais, de onde partiremos para o Brasil!

Madeleine e lorde Hunt saíram imediatamente. O marquês de Linhaça se preparava para se dirigir à Sala da Guarda, quando ouviu um assobio. Era a *Marseillaise*.

---

[24] Nota histórica: Dona Maria I tinha 73 anos quando da partida da família real para o Brasil. Nesta época, estava há 16 anos reclusa no palácio de Queluz.

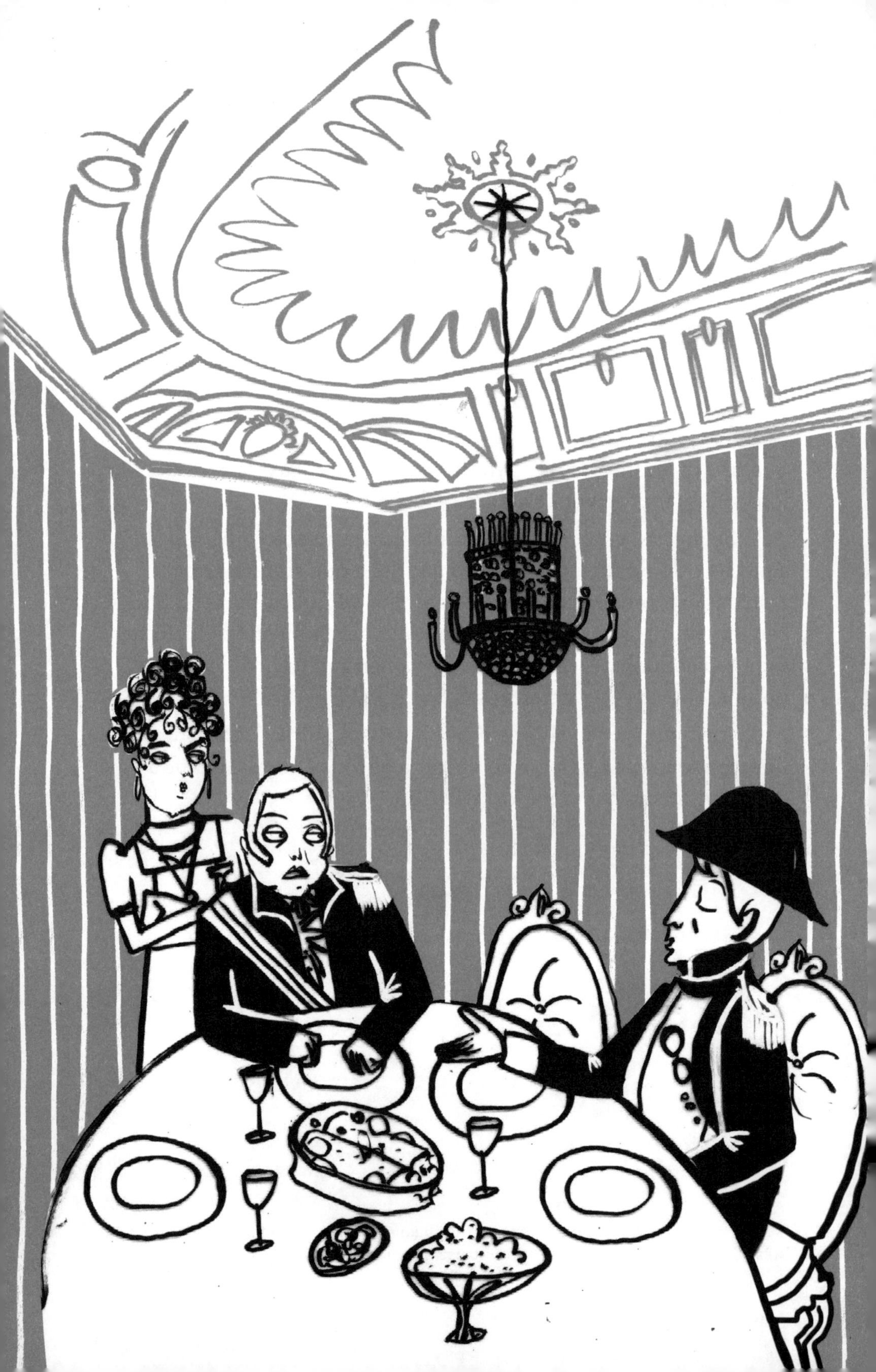

XVII
O CERCO APERTA

Carlota Joaquina entrou no salão real esbaforida:

— Joãozinho, sinto informar que esta não é a imperatriz Josefina! Estamos sendo enganados!

— Como é? — perguntou Dom João assustado.

— Madeleine disse que esta não é a imperatriz Josefina e que, provavelmente, este não é Napoleão, o grande imperador da França! — ela completou.

— Princesa, certamente está havendo algum mal-entendido — intercedeu o conde de Barra Funda, que foi imediatamente cortado pelo falso imperador.

— De fato, esta não é a imperatriz Josefina — confessou o falso Napoleão em baixo tom de voz, diante dos olhares surpresos de todos.

O conde se arrependeu de ter permitido que Pierre bebesse e o cutucou por debaixo da mesa. Sem se incomodar com a advertência, o falso imperador continuou:

— Esta não é a imperatriz Josefina! Mas, antes que a guarda seja chamada e se crie um incidente diplomático irreversível, peço apenas cinco minutos para que tudo seja esclarecido.

— Nem cinco, nem um! — gritou a princesa Carlota Joaquina.

— Calma, querida! Vamos ouvir o que ele tem a falar. Não quero criar problemas diplomáticos irreversíveis — respondeu Dom João, enquanto fez sinal com as mãos para que Carlota Joaquina baixasse o tom de voz.

— Agora entendo por que Vossa Alteza é o soberano sábio e equilibrado que todos os monarcas do Velho Continente admiram — disse o falso imperador, calmamente.

O príncipe regente deu um sorriso de orgulho, sendo repreendido com um cutucão da princesa Carlota Joaquina.

— Pois bem, não devia confessar estas coisas, mas vou dizer: esta donzela que me acompanha é uma velha amiga que viaja comigo sempre que a imperatriz não está por perto[25]. Certamente serei um homem morto se a verdadeira Josefina souber deste fato, que aqui conto como maior prova de nossa amizade.

— E por que Vossa Majestade não nos contou isso no início do almoço e demorou tanto para dar esta prova da nossa amizade? — perguntou Carlota Joaquina intrigada.

— Cara princesa, nós, os franceses, não costumamos comer o melhor prato logo de início. Assim, também fazemos com os assuntos apetitosos: saboreamos cada coisa a seu tempo.

— E como podemos saber que Vossa Majestade é mesmo Napoleão? Com todo respeito, é claro! — insistiu Carlota Joaquina.

O falso imperador tomou a palavra e, calmamente, disse que era de conhecimento geral que o verdadeiro Napoleão tinha um sinal de nascença embaixo do cotovelo direito, enquanto dobrou a sua camisa e mostrou uma mancha negra. Na sala, fez-se um grande silêncio, até que Dom João confessou, em baixo tom de voz, que jamais teve conhecimento deste fato.

---

[25] Nota histórica: Josefina e Napoleão se separaram em 1810. Em 1811, Napoleão se casou com Maria Luiza, irmã de Maria Leopoldina, futura imperatriz do Brasil (ambas eram filhas de Francisco I, Imperador da Áustria). Maria Leopoldina e Dom Pedro I se casaram em 1817 (ou seja, Napoleão viria a ser cunhado da imperatriz do Brasil e, quem sabe, se as coisas estivessem mais calmas, poderia ser convidado para uma bacalhoada).

— Bom, com todo o respeito, caro amigo, todo mundo sabe deste meu sinal! O segredo é esta senhorita que me acompanha. E, agora que Vossas Altezas conhecem o maior segredo do trono francês, façam bom proveito dele! Se quiserem, podem chamar os guardas. Eu, se possível, prefiro mais uma taça deste maravilhoso vinho!

Carlota Joaquina deu uma enorme risada, que foi seguida por todos. O conde estava aliviado. Sua preocupação voltou a ser a quantidade de taças de vinho que o falso imperador já tinha tomado e que poderia impedir que o plano fosse colocado em prática. O príncipe regente e a princesa Carlota Joaquina estavam visivelmente encantados com o falso imperador e com sua acompanhante.

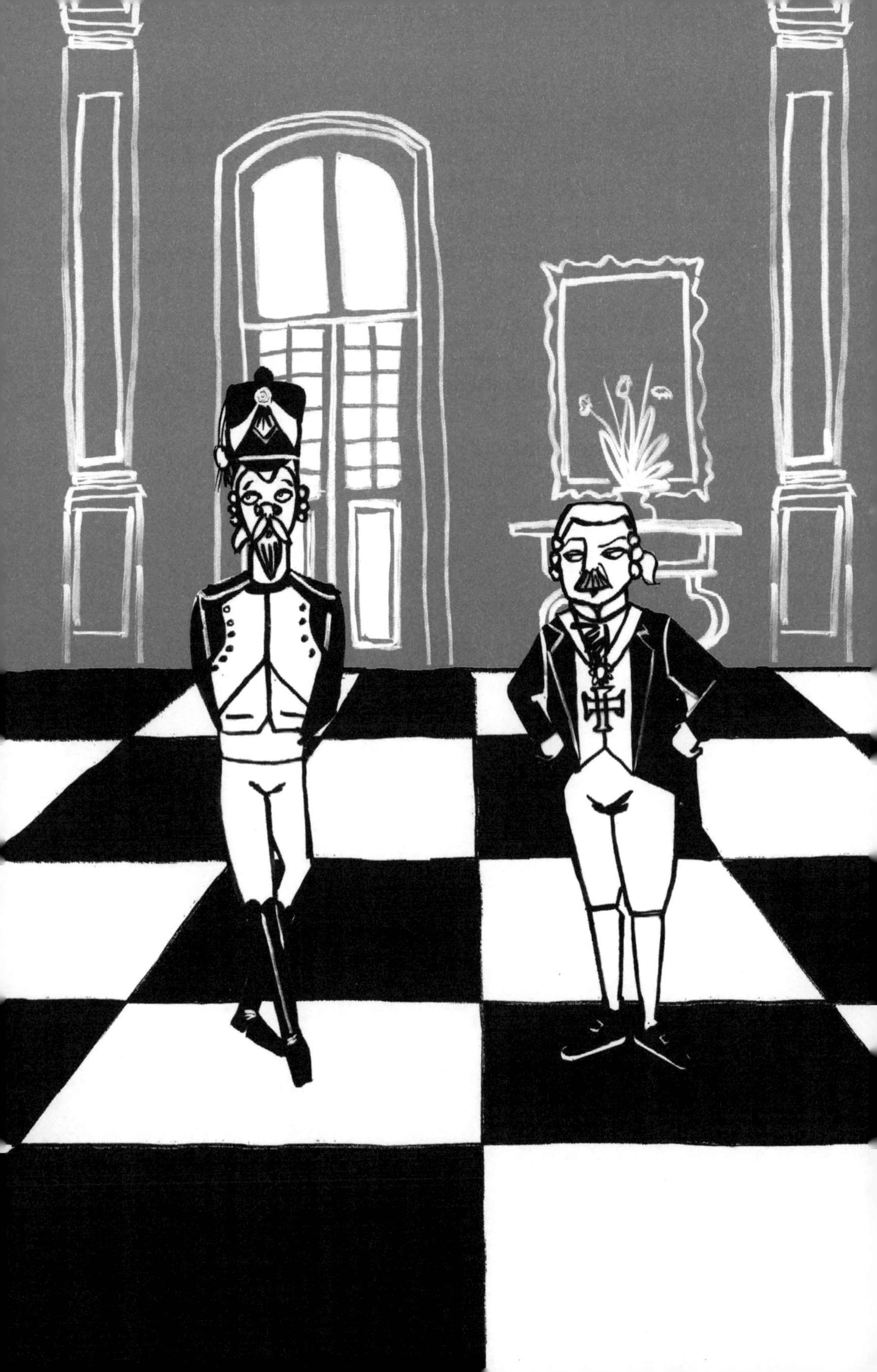

XVIII

A REBELIÃO

No corredor do palácio, o marquês de Linhaça não conseguia identificar quem se aproximava assobiando a *Marseillaise*. Aos poucos, viu um homem vestido com um uniforme do exército francês, que disse com um largo sorriso:

— Marquês, que bom revê-lo. Lembra de mim? Sou Francisco, o alfaiate, amigo do conde de Barra Funda. Fui eu que fiz a roupa do Napoleão e da Josefina.

— Claro que lembro! Que bom que veio ajudar! Mas será que é uma boa ideia este uniforme do exército francês em uma hora destas? — perguntou o marquês surpreso.

Francisco deu uma risada tão alta que deve ter sido ouvida em todo o palácio.

— Ora, marquês, esta é apenas uma diversão de um velho alfaiate: a de me fazer passar por outros personagens. É como se vivesse várias vidas em uma.

O marquês achou graça:

— Mas não tinha uma fantasia melhor do que a de oficial francês? Sabe como é, nos dias atuais, os franceses não são muito bem-vistos aqui em Lisboa.

Francisco deu uma gargalhada:

— Não se preocupe, marquês, sou tão conhecido neste Palácio que posso me vestir como quiser que ninguém acha ruim.

— Está bem. Então, por favor, me leve até a Sala da Guarda! Precisamos mobilizar o exército!

— Com certeza! Vamos por aqui, não temos tempo a perder!

Quando chegaram à Sala da Guarda, o marquês ficou surpreso quando viu três soldados portugueses presos por cinco guardas franceses.

— *Bonjour*, general François! — disse um dos guardas para Francisco, que fechou o sorriso que trazia consigo.

— *Bonjour*! Prendam este homem! — disse ele apontando para o marquês.

O rosto do marquês ficou pálido, enquanto Francisco explicou a situação:

— Fique tranquilo! Temos apenas que impedir a partida do príncipe regente até a chegada do grande exército francês! Nada acontecerá com a família real nem com o povo português, até que o verdadeiro Napoleão decida o que fazer.

Mesmo sem entender o que estava acontecendo, o marquês, que já estava cansado de ser preso, procurou reagir:

— Mas o príncipe regente não está mais pensando em partir! Você sabe disso!

— Marquês, o príncipe regente é uma ótima pessoa, mas, sabidamente, é um homem indeciso. Tal como as caravelas portuguesas, ele é facilmente levado pelo vento. E, certamente, o grande Napoleão não pode se dar ao luxo de ficar torcendo para que o vento lhe seja favorável!

— Como pude ser enganado pelo conde de Barra Funda? Como posso ter sido tão ingênuo?

— Marquês, o conde é mais ingênuo que o senhor! Apesar de sermos amigos há muito tempo, ele não sabe que jamais rompi meus laços afetivos com a França, onde nasci. Eu nunca deixaria um príncipe regente bobo como este enganar o grande imperador Napoleão! Por isso, quando o conde me procurou, vi que o destino tinha me dado uma incrível chance de impedir que a França fosse derrotada.

— Mas e Pierre? Ele odeia Napoleão, não é?

— Pierre é um beberrão ressentido! Primo distante de Napoleão, acha que nunca recebeu o tratamento que devia. Por isso, assim que saímos da casa do conde, pude convencê-lo facilmente de que, se ajudasse a impedir a fuga da família real, certamente receberia o devido reconhecimento do verdadeiro imperador francês!

— E Marie?

— Marie está em busca apenas de uma recompensa. Para ela não faz diferença se o valor será pago pelos ingleses ou pelos franceses.

O marquês sentiu que era o fim. Francisco ainda fez graça:

— Mas, não se preocupe, caro marquês, não discordamos de tudo! Numa coisa o senhor tem razão: precisamos mobilizar o exército! O exército francês, caro marquês, o exército francês!

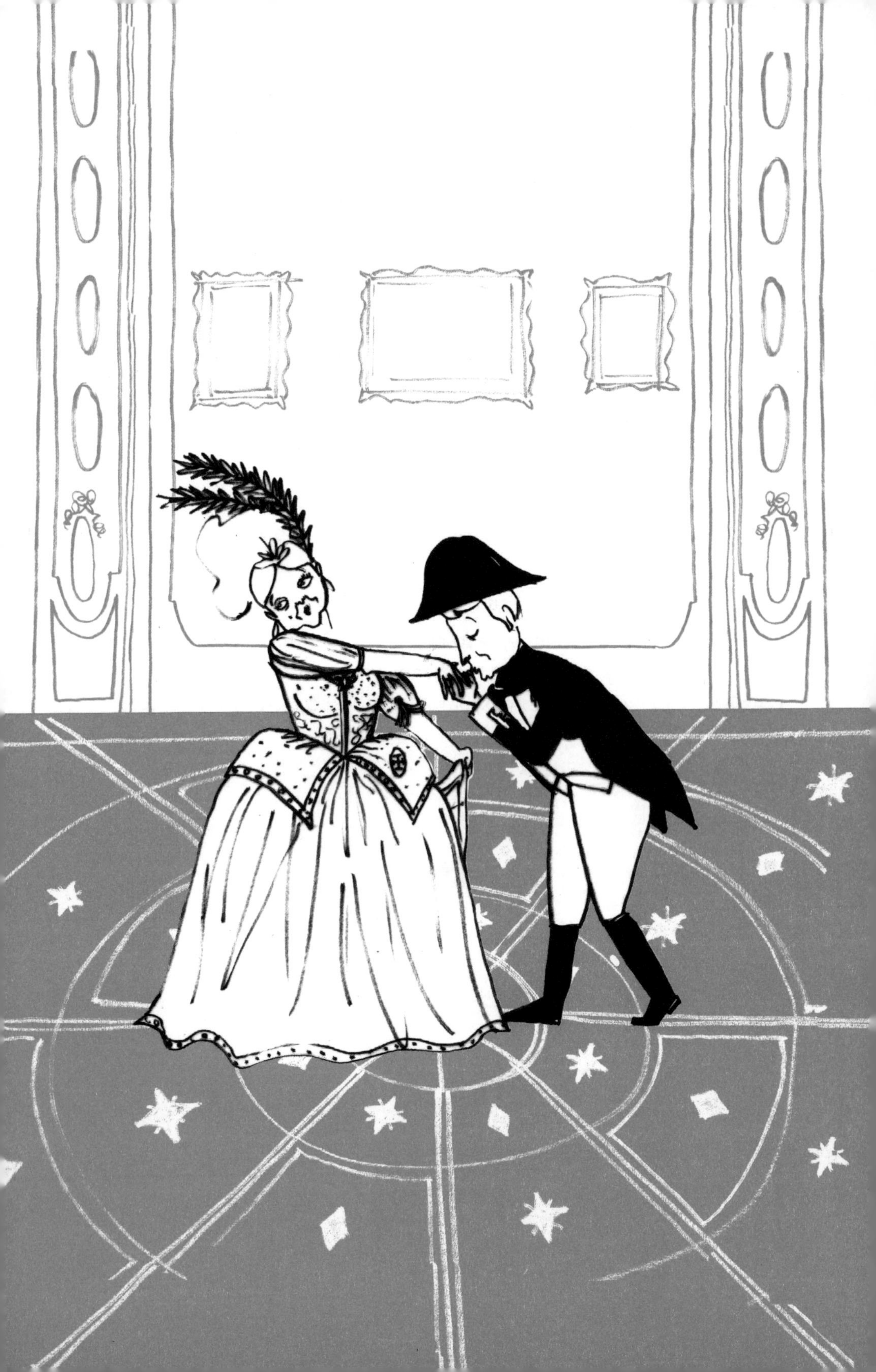

XIX

MAIS UM LUGAR À MESA

No salão real, o almoço seguia de forma harmoniosa. Na tentativa de mudar o rumo da conversa e colocar o plano em prática, o conde de Barra Funda cutucou o falso Napoleão por debaixo da mesa, o qual, fingindo não perceber o cutucão, disse:

— Dom João, tomo mais um vinho!

— Imperador, confesso que não sabia quanto Vossa Majestade era apreciador de uma boa bebida! — respondeu Dom João.

De repente, a porta principal da sala se abriu. Era D. Maria I, a Louca. Estava arrumada para um baile.

— Soube que o grande Napoleão Bonaparte está por aqui e não poderia perder a chance de conhecê-lo! Por favor, coloquem mais um lugar à mesa — ordenou a rainha.

— Mamãe, este não é um bom momento! Estamos tratando de assuntos importantes!

O falso Napoleão cortou a conversa:

— Caro príncipe regente, é um prazer conhecer a grande rainha de Portugal!

— Viu, Joãozinho, viu como ele é simpático! — continuou D. Maria I.

— Aliás, com todo o respeito, é sabido em todo o Velho Continente que Vossa Majestade é a mais bela rainha nascida em

Portugal26! — completou o falso Napoleão, enquanto levantava uma taça de vinho.

— Ora, caro imperador, Vossa Alteza é um galanteador! Assim, a sua esposa ficará com ciúmes!

Houve um silêncio constrangedor na sala.

— Mamãe, a senhora já conheceu o grande Napoleão e ainda recebeu um elogio que nenhuma outra rainha do mundo recebeu! Agora, temos assuntos importantes a tratar! Acho que seria melhor que a senhora se recolhesse a seus aposentos!

— Joãozinho, você acha mesmo que me arrumei toda e vou me contentar com cinco minutos de prosa com o magnífico imperador francês? Que nada! Quero saber de todas as novidades! Diga-me, grande Napoleão, o que o senhor pretende fazer em Portugal?

O conde de Barra Funda, que estava achando aquela conversa ridícula, teve esperanças de que a inesperada visita colocasse as coisas no rumo previsto.

— Nada de especial! Quero dizer, aproveitar a bela cozinha portuguesa, conhecer algumas vinícolas e, principalmente, descansar da agitação de Paris!

— Que maravilha! — disse Carlota Joaquina aliviada.

O conde decidiu que era hora de apertar o incontrolável Napoleão:

— Imperador, e o que Vossa Alteza pretende fazer com o nosso querido príncipe regente?

— Ora, o príncipe regente de Portugal deve continuar a reger Portugal. Por isso se chama regente. Ah! E não se preocupem, vamos enfrentar os ingleses juntos! Inimigos dos meus amigos são também meus inimigos! Saúde! — completou o falso Napoleão, com um brinde a todos.

O tempo corria. O conde, sem saber dos outros fatos que estavam acontecendo no palácio, pensou que nada poderia piorar aquela difícil situação.

---

[26] Nota histórica: D. Maria I foi a primeira mulher a assumir o trono português.

XX
O CONTRA-ATAQUE

Lorde Hunt e Madeleine chegaram esbaforidos ao porto. Não havia tempo a perder. Era preciso cuidar do embarque da família real imediatamente, antes que tudo fosse por água abaixo. Lorde Hunt deu um grito e, pela primeira vez desde que se conheceram, Madeleine notou algo de diferente naquele bravo inglês de voz rouca. Em pouco tempo, o cais estava cheio de soldados ingleses, que logo se colocaram em fila. Lorde Hunt tomou a palavra:

— Senhores, hoje faremos história! Portugal, nosso povo irmão, está em perigo! A família real portuguesa precisa partir imediatamente! Não sabemos, com certeza, o que o inimigo planeja, mas sinto meu calo do meu pé direito doer e isso significa que é preciso agir rapidamente! Esta aqui é Madeleine, ela é a dama de companhia da princesa Carlota Joaquina. Ela nos dará as orientações sobre o Palácio Real. Madeleine deu um passo à frente e deu descrições detalhadas sobre o palácio.

A cada momento, lorde Hunt estava mais encantado com Madeleine, que, para sua admiração, mesmo naquela difícil situação, não perdia sua graça e leveza. Ao final, ela fez um pedido ao comandante inglês:

— Preciso de um pequeno grupo de soldados para garantir

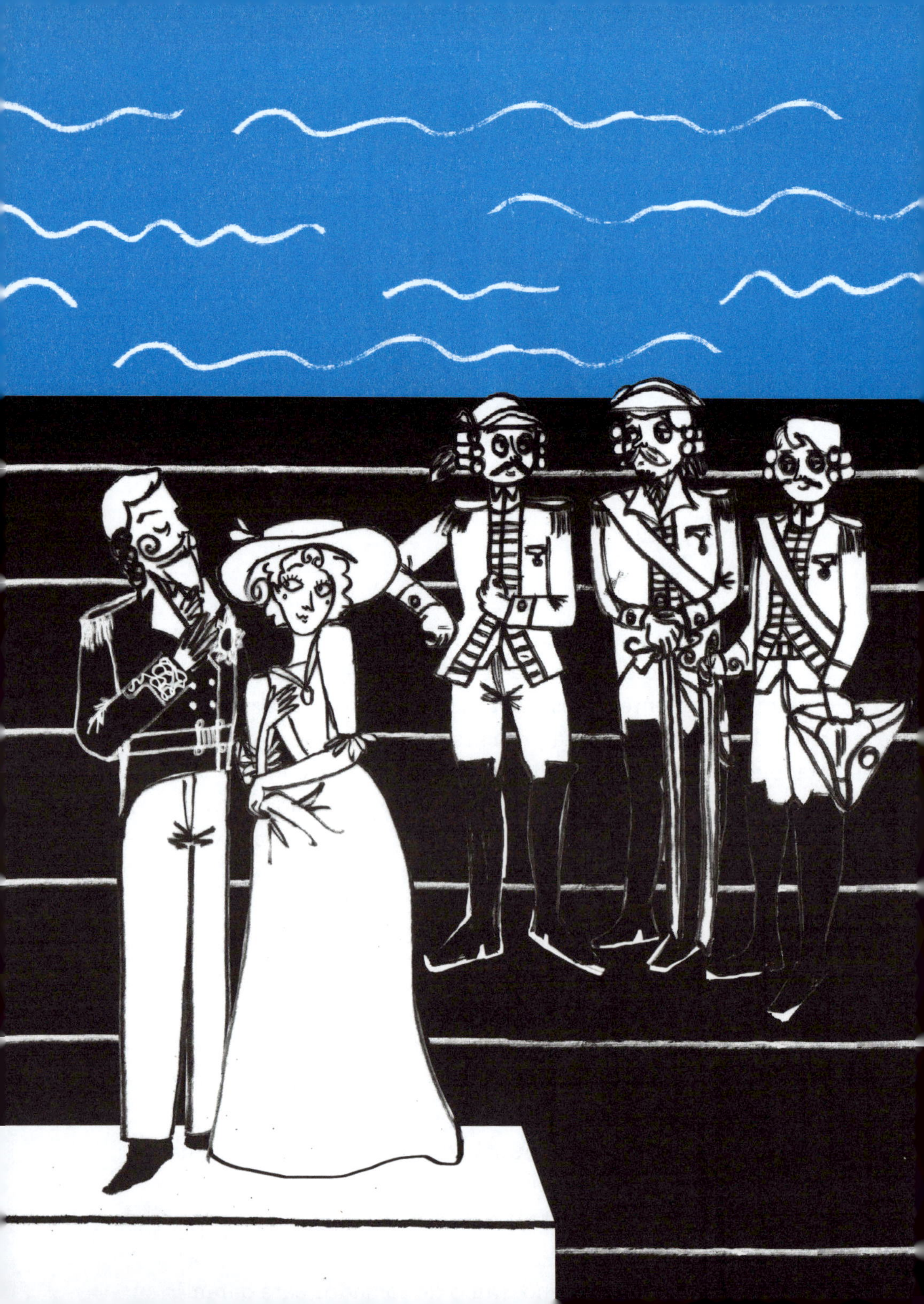

a segurança dos filhos de Dom João e da princesa Carlota Joaquina.

— Fique tranquila. Protegeremos toda a família real — ele respondeu prontamente.

Em seguida, lorde Hunt dividiu os pelotões para o ataque e prometeu a Madeleine que se encarregaria pessoalmente de libertar o príncipe regente e a princesa Carlota Joaquina. Depois, colocou a mão no peito e, dirigindo-se aos soldados, disse em tom dramático:

— Senhores, hoje faremos história! Mas, atenção: Napoleão está no palácio Real! Ele logo verá que está em menor número e certamente não reagirá! Por isso, nosso objetivo é prender o imperador francês e aguardar ordens do nosso rei a respeito do que faremos com nosso ilustre prisioneiro. Não há nenhuma razão para que Napoleão seja morto aqui em Portugal! Certamente, a história guarda outro destino ao grande imperador! Esta noite faremos história, mas não esta história!

Em seguida, ainda emocionado com seu discurso e sentindo uma dor cada vez mais forte no seu calo do pé direito, olhou fundo nos olhos de Madeleine e perguntou:

— Desculpe-me a indiscrição, mas qual é sua nacionalidade, senhorita?

Ela deu um riso desconcertado e respondeu um pouco envergonhada:

— Sou francesa.

O lorde colocou a mão na testa. Nem tudo estava saindo como gostaria.

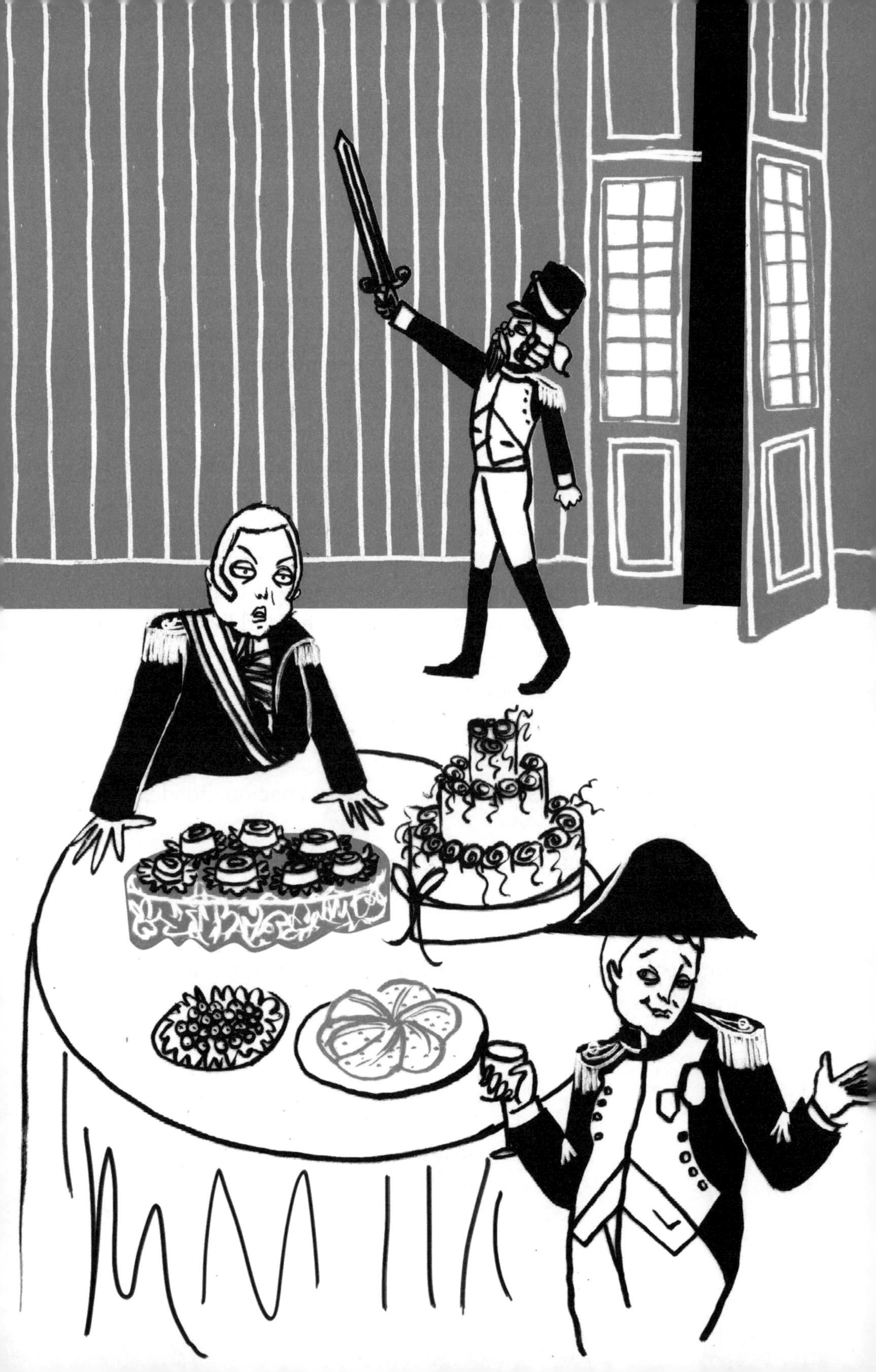

XXI
A SOBREMESA

No salão real, o conde de Barra Funda permanecia angustiado com a falta de iniciativa do falso imperador, que nada fazia para seguir o plano traçado. Quando Dom João disse que era o momento de comerem os doces portugueses, percebeu que estava cada vez mais difícil de azedar a situação. De repente, a sala foi invadida por Francisco e por mais três oficiais franceses. Ele levantou a espada e disse ao príncipe regente:

— O senhor está preso em nome de Napoleão Bonaparte!

— Como é? Vossa majestade está me prendendo? — perguntou Dom João para o imperador já bêbado.

— Se ele está dizendo que sim, estou!

— Quanta ousadia! Vir até o meu palácio, comer esta deliciosa bacalhoada, tomar meu vinho e me prender. Se pretendia me prender, por que não fez isso antes do banquete?

Passado o espanto inicial, Dom João pensou ter recobrado os sentidos, quando olhou novamente para Francisco:

— Espere aí! O senhor é nosso alfaiate real! Imperador, além de bom de copo, o senhor é um ás nas piadas!

Pela primeira vez, o rosto do falso imperador ficou sério. Ele respondeu com uma voz tão firme que não parecia ter bebido nada:

— Não é brincadeira! Portugal está sob meu domínio agora! Não haverá nenhuma partida para a Colônia! Seus bens serão confiscados! A família real será minha prisioneira e todos os portugueses serão meus súditos!

Dom João começou a gaguejar. Antes que conseguisse formular uma frase completa, foi interrompido por um grupo de soldados liderados por lorde Hunt, que levantou a sua espada e disse ao Imperador:

— O senhor está preso em nome do príncipe regente de Portugal!

— Graças a Deus! — gritou a princesa Carlota Joaquina.

— Como é? Vossa Alteza está me prendendo? — perguntou o imperador para o príncipe regente.

— Se ele está dizendo que sim, estou — retrucou Dom João, aliviado.

— Está bem. Então estou preso — respondeu o falso imperador, tomando o resto de vinho que estava em sua taça.

Carlota Joaquina se desesperou:

— Vamos embora para a Colônia! Em pouco tempo chegará todo o exército francês e não quero ser dominada por este homenzinho horroroso e bêbado!

— Pode deixar, Alteza, escoltaremos a família real. Embarcaremos amanhã bem cedo! — intercedeu lorde Hunt.

A falsa Josefina começou a chorar tão fortemente que o conde de Barra Funda não sabia se ela estava atuando ou se realmente estava com medo do que poderia acontecer. O falso Napoleão pôs a mão no ombro dela, enquanto reconheceu que jamais esperava sair preso daquela bacalhoada. Ao final, confessou a Dom João, parecendo estar humilhado:

— Você foi o único que me enganou[27].

Carlota Joaquina deu uma risada:

---

[27] Nota histórica: Anos mais tarde, pouco antes de morrer, o verdadeiro Napoleão escreveu, em suas memórias, que Dom João tinha sido o único que o enganou.

— Pois a mim, ele não engana[28]!

O falso Napoleão baixou a cabeça, como se estivesse definitivamente rendido:

— E o que farão conosco? — perguntou, enquanto apontou para a falsa Josefina.

— Vossas Majestades ficarão aqui em Lisboa até recebermos ordens de nosso rei — respondeu lorde Hunt.

D. Maria I se levantou e, em tom imperial, concluiu:

— Pois se estão dependendo de ordens reais, aí vão elas: ordeno que nosso querido amigo Napoleão Bonaparte e sua linda esposa nos acompanhem até o Brasil!

— Mamãe, esta ordem não poderá ser cumprida! Não depois de tudo o que este homem fez nesta bacalhoada!

Neste momento, Madeleine entrou no salão acompanhada de alguns guardas ingleses e de Pedro e Miguel. Carlota Joaquina deu um grito de alegria quando, aliviada, viu seu filho predileto:

— Miguelzinho, ainda bem que nada te aconteceu!

Em seguida, o marquês de Linhaça chegou correndo, acompanhado de outra parte do pelotão inglês.

— Prendam este homem também! Ele é um traidor! — determinou o marquês, apontando para Francisco, que, cinicamente, fez uma cara de surpresa.

Somente nesta hora, o conde de Barra Funda percebeu o que havia ocorrido.

---

[28] Nota histórica: A relação entre Dom João e Carlota Joaquina era péssima. Desde 1805, eles viviam em residências separadas. Ela morava no Palácio de Queluz, com a rainha louca D. Maria I, e ele no Palácio de Mafra, em companhia de padres que o tinham educado quando era criança. No Brasil, Dom João foi morar na Quinta da Boa Vista e Carlota Joaquina em uma chácara em Botafogo. Ela participou de diversas tentativas para tirar seu marido do trono português.

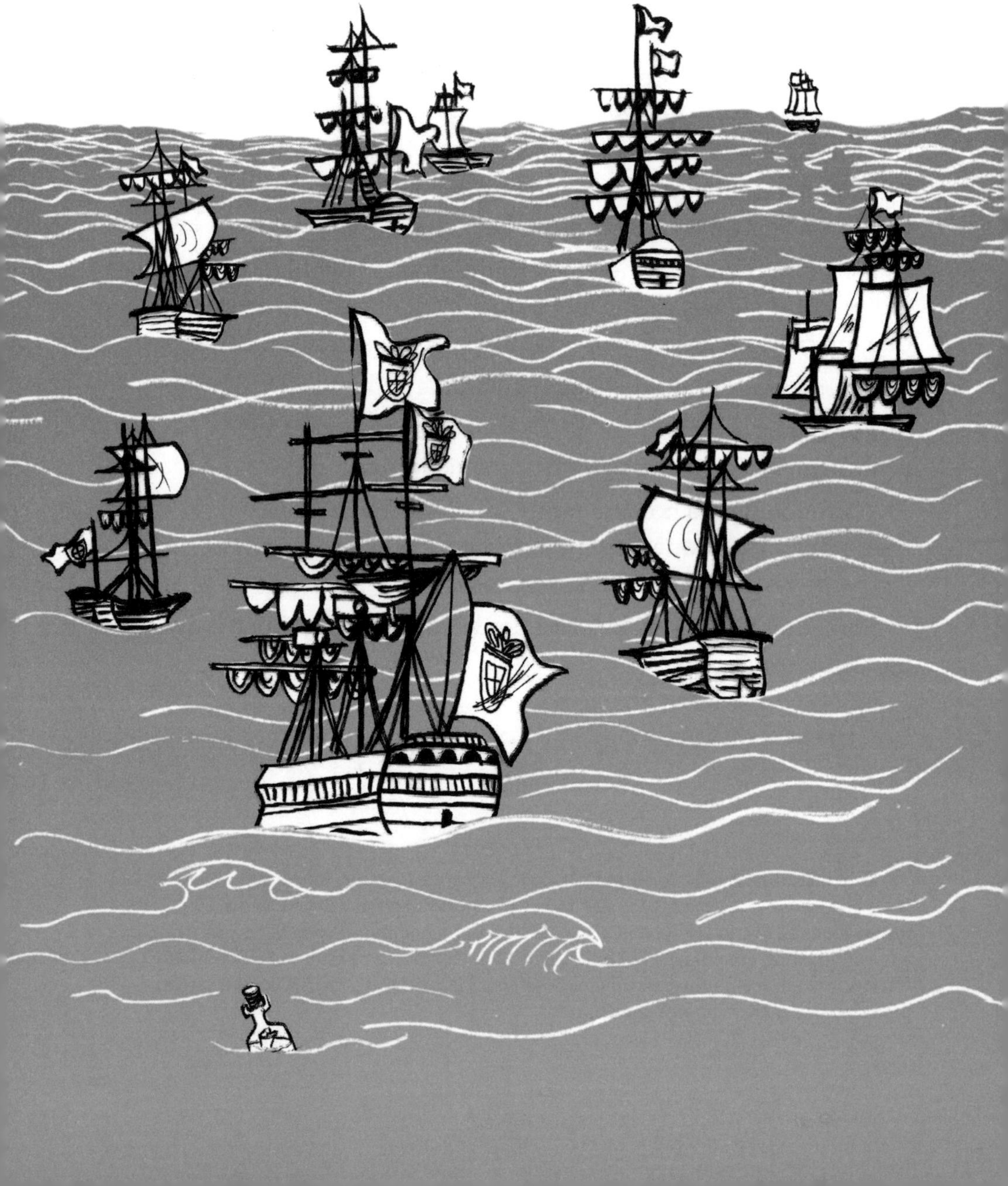

XXI
O EMBARQUE

Em enorme correria, a família real portuguesa se dirigiu para o porto. Em sua carruagem, D. Maria I gritava ao cocheiro:

— Mais devagar. Vão pensar que estamos a fugir[29]!

Orientados por lorde Hunt, os soldados ingleses retiraram seus uniformes e se misturaram à população local. Muitas pessoas embarcavam nos navios, enquanto parte da população assistia perplexa àquela partida inusitada.

O conde de Barra Funda teve que viajar escondido para o Brasil, porque o príncipe regente ficou furioso com o almoço que quase o fez perder o trono. O marquês de Linhaça teve um sério problema com a porta de sua carruagem, que emperrou na hora do embarque. Ele foi forçado a sair pela janela para não ficar definitivamente preso em Lisboa. Madeleine preferiu acompanhar lorde Hunt em seu navio para o Brasil e de lá resolveram se mudar para a Inglaterra, onde Madeleine foi viver na corte inglesa e o lorde foi devidamente recompensado pelo rei. Com o tempo,

---

[29] Nota histórica: A família real partiu para o Brasil na manhã do dia 29 de novembro de 1807. A brincadeira que se faz em relação a frase que D. Maria I teria dito no momento do embarque ("mais devagar ou vão pensar que estamos a fugir") é para mostrar que a rainha, mesmo louca, percebia o óbvio: a família real portuguesa estava fugindo.

lorde Hunt ficou mais tolerante com os franceses, especialmente depois que aprendeu alguns encantos da sua culinária. Depois que se casou com Madeleine, seu calo nunca mais doeu. Francisco, Marie e Pierre foram libertados assim que o embarque da família real aconteceu. Eles jamais foram recompensados. Francisco nunca mais foi visto em Lisboa. Pierre continuou bebendo bastante na Taberna Real (ou em qualquer outro lugar onde fosse servido vinho). Marie voltou para o teatro, onde teve um relativo sucesso. Em uma ocasião, chegou a se apresentar para o verdadeiro Napoleão.

Mesmo com o planejamento do lorde Hunt, alguns erros aconteceram. Na pressa do embarque, o príncipe regente e seus filhos Pedro e Miguel embarcaram no mesmo barco, o que era uma temeridade em uma época em que naufrágios aconteciam com razoável frequência[30]. Uma fatalidade poderia ter interferido na sucessão do trono português.

Diferentes versões foram contadas sobre este embarque que, como previu lorde Hunt, mudou o curso da história. Já no navio, a rainha D. Maria I contava para quem quisesse ouvir que os desentendimentos decorrentes da bacalhoada servida para o imperador Napoleão em Lisboa tinham motivado esta súbita viagem. Mas ninguém acreditava nela. Como se sabe, na época do embarque da família real portuguesa para o Brasil, ela já estava louca.

---

[30] Nota histórica: Embora o planejamento da viagem não tenha sido feito por lorde Hunt, é fato que Dom João, D. Maria I, Pedro e Miguel embarcaram no mesmo navio (o Príncipe Real) e que tal situação implicava alto risco na época. O resto da família real embarcou em três outros navios.

FIM

SOBRE O AUTOR:

Luiz Eduardo de Castro Neves é carioca, juiz de Direito, casado e pai de dois filhos.

Autor dos livros *Pelo sim, pelo não: poemas em prosa, contos em poesia*; *Histórias que os bichos gostam de contar*; *Muito, muito, muito... (escola a sua história)*; *Uma mentira leva a outra*; *As cartas de Antônio*; *O Brasil quase rimado* e *Uma gramática simpática*.

SOBRE A ILUSTRADORA:

Juliana Montenegro é carioca, designer, ilustradora e ama gatinhos.

Ilustrou também os livros *Histórias que os bichos gostam de contar*; *Muito, muito, muito... (escolha a sua história)*; *Uma mentira leva a outra*; *As cartas de Antônio* e *O Brasil quase rimado* e *Uma gramática simpática* de Luiz Eduardo de Castro Neves, entre outros. Conheça o seu trabalho em www.jumontenegro.com

CONHEÇA OS OUTROS LIVROS DO AUTOR:

Uma gramática simpática (publicada em 2019) — Uma gramática que pode ser "lida", como um dos livros de história do mesmo autor, e que pode ser consultada a qualquer momento, como se requer de uma gramática como referência. Escrita com leveza e bom humor, nos leva a querer saber mais sobre a língua portuguesa, à medida que aprendemos sem muito esforço, com muitos exemplos, ilustrações e histórias, essas coisas ex-terríveis que se chamam regras gramaticais. Está tudo registrado nesta obra, mas nada pesa nem enfastia.
Ilustrado por Juliana Montenegro.

Muito, Muito, Muito (publicado em 2015) — Fruto de uma brincadeira que fazia com seus filhos bem pequenos, o livro permite que a criança conte a mesma história de formas diferentes.
Ilustrado por Juliana Montenegro.

Histórias que os Bichos Gostam de Contar (publicado em 2013) — Para aumentar o interesse de sua filha pela leitura e aprimorar a interpretação de textos, o autor inventou diversas histórias de bichos, com perguntas ao final. Como era de se esperar, o estudo se confundiu com o amor.
Ilustrado por Juliana Montenegro.

© 2020, by Luiz Eduardo de Castro Neves

Odisseia Editorial® é uma marca registrada da
LEXIKON EDITORA DIGITAL LTDA.

Direitos de edição da obra em língua portuguesa adquiridos pela Lexikon Editora Digital Ltda. Todos os direitos reservados. Nenhuma parte desta obra pode ser apropriada e estocada em sistema de banco de dados ou processo similar, em qualquer forma ou meio, seja eletrônico, de fotocópia, gravação etc., sem a permissão do detentor do copirraite.

LEXIKON EDITORA DIGITAL LTDA.
Rua Luís Câmara, 280 - Ramos
21031-175 Rio de Janeiro – RJ – Brasil
Tel.: (21) 2221 8740 – 2560 2601
www.lexikon.com.br – sac@lexikon.com.br

PRODUÇÃO EDITORIAL
Sonia Hey

PROJETO GRÁFICO E ILUSTRAÇÕES
Juliana Montenegro

REVISÃO
Perla Serafim

1ª edição - 2015

CIP-BRASIL. CATALOGAÇÃO NA PUBLICAÇÃO
SINDICATO NACIONAL DOS EDITORES DE LIVROS, RJ

N425b

    Neves, Luiz Eduardo Castro
    A bacalhoada que mudou a história / Luiz Eduardo Castro Neves ; ilustração Juliana Montenegro. — 1. ed. — Rio de Janeiro : Odisseia, 2015.
    104 p. : il. ; 23 cm.

    ISBN 978-85-62948-26-8

    1. Conto infantojuvenil brasileiro. I. Montenegro, Juliana. II. Título.

        CDD: 028.5
        CDU: 087.5

Este livro foi impresso pela
Oceano Gráfica e Editora, em 2020.